D0590592

Pas op, Tirza!

Netty van Kaathoven

Pas op, Tirza!

Twello
Van Tricht *uitgeverij*, 2007
www.vantricht.nl

Inhoud

HOOFDSTUK I

Chatten

'Wij zijn de laatste meiden die leren chatten,' zegt Tirza.
'Ja, de allerlaatste meiden op aarde,' antwoordt Limi.
Tirza zit met haar vriendin Limi voor haar computer.
Gisteren heeft haar vader een nieuwe gekocht.
Nu mag Tirza de oude gebruiken.
Die heeft haar vader op haar kamer gezet.
Eerst kon ze alleen in de huiskamer internetten.
Daar zaten haar ouders ook.
Die keken steeds wat ze aan het doen was.
Nu kan ze net zoveel surfen als ze zelf wil.
En nieuwe sites gaan zoeken.
De computer is alleen voor het huiswerk.
Dat vinden haar ouders.
Maar Tirza heeft een ander plan.
Ze heeft aan vriendinnen adressen van sites gevraagd.
Ze wil graag chatten met jongens.
Al haar vriendinnen praten daarover.
Zij weet niet eens hoe dat moet.

'Ik vind het spannend,' zegt Tirza.
'Leuk spannend, toch?' vraagt Limi.
Limi pakt het papier met de adressen.
Ze giechelt en wiebelt op haar stoel.
Limi heeft thuis geen eigen computer.
Tirza tikt het adres *www.sugababes.nl* in.
Ze zien een bomvolle pagina.
Foto's flitsen over het scherm.
Tirza en Limi kijken elkaar verbaasd aan.

'Oh help, dat kan ik niet volgen,' klaagt Limi.
'Het went wel, hoop ik,' sust Tirza.
Ze kijken naar de foto's op het scherm.
'Wat zijn die meiden mooi,' vindt Limi.
'Ze zijn veel leuker dan wij.'
'Dat denk ik ook,' zegt Tirza.
'Mijn neus is veel te klein.
En moet je mijn oren zien.
Die wiebelen aan mijn hoofd.'
Limi moet vreselijk lachen.
'Hoe kunnen oren nou wiebelen?' schatert ze.
'Zou je als je niet knap bent
ook chatvrienden vinden?' vraagt Tirza.
'We proberen het gewoon,' vindt Limi.

Eerst maken ze een profiel aan.
Ze moeten een lijst invullen.
Op het scherm. Over zichzelf.
'Je moet nooit je eigen naam gebruiken,' weet Limi.
'We moeten een gekke naam verzinnen.'
Ze hebben tips gekregen van vriendinnen.
De lijst invullen lukt.
'Zullen we schrijven dat we zestien zijn?' vraagt Tirza.
'Ja, natuurlijk.
Anders krijgen we alleen berichten van kinderen,'
vindt Limi.
Er moet ook een foto komen.
'Probleempje,' zegt Tirza.
'Ik mag van mijn ouders geen foto's op een site zetten.
Ze zeggen dat ik daar problemen door kan krijgen.'

Ze lezen nog een keer de regels.
Er moet een foto bij, staat er.
'Het zal toch moeten,' zegt Limi.

'Anders kunnen we niet echt op de site.
Dan kunnen we alleen naar de plaatjes kijken.
Maar niet chatten.
En geen bericht sturen.
Dan kunnen we zelf ook geen post krijgen.
Daar is toch niks aan.'
Tirza bijt peinzend op haar lip.
'Ik kan stiekem de camera van mama halen,' zegt ze.

Ze loopt naar beneden.
Haar ouders zijn nog aan het werk.
De camera ligt niet in de kast.
Waar moet ze nu zoeken?
Ze zoekt in de kamer en de keuken.
Er is geen camera.
Jammer nou.
Ze kan haar ouders natuurlijk niet vragen waar hij is.
Dan bedenkt ze iets.
Mama heeft de camera gisteren gebruikt.
Ze zoekt in de jas die aan de kapstok hangt.
Ja hoor, daar zit hij nog in.
Snel loopt ze weer naar boven.
Limi heeft de site met jongens gevonden.
Ze tikt in: *www.superdudes.nl*.
'Kijk nou, Tirza!' roept ze.
'Moet je zien wat een leuke jongens!'
'Heb je al een bekende gezien?' vraagt Tirza.
'Nee, maar kijk eens!
Wat een scheetje!
Daar wil ik wel mee chatten.'
Limi wordt er blij van.
'Eerst foto's,' vindt Tirza.
'Zo meteen komt mijn moeder thuis.'
Ze strijkt met haar handen door haar lange haren.

‘Zit het een beetje?’ vraagt Tirza.
‘Cool,’ vindt Limi. ‘En mijn haar?’
‘Hoe kan er met jouw haar iets mis zijn?’ vraagt Tirza.
Limi heeft zwarte krullen.
Die zitten altijd vanzelf goed.
‘Lipstick nog,’ zegt Tirza. ‘En oogschaduw.’
‘Hoelang hebben we?’ vraagt Limi.
‘Een halfuur. Opschieten dus.’

Snel doen ze wat vuurrode lipstick op.
Dan de oogschaduw.
Tirza zoekt haar mooiste oorbellen.
Heel lange hangers, waardoor haar oren kleiner lijken.
‘Zo, nu even zwoel kijken,’ zegt Limi.
‘Hoe doe ik dat?’ giechelt Tirza.
Ze bekijken foto’s op de site.
Zo kunnen ze zoeken wat er leuk uitziet.
‘Je hoofd een beetje scheef.
Je lippen een beetje van elkaar.
En nu lachen,’ zegt Limi.

Tirza krijgt de slappe lach.
‘Ophouden Tirs, we hebben niet veel tijd meer.’
‘Oké, oké, ik doe mijn best,’ zegt Tirza.
Ze gaat op een hoek van haar bed zitten.
Op één arm leunt ze een beetje naar achter.
Haar hoofd draait ze omhoog.
Zo valt het haar mooi achter haar oren.
Limi klikt met de camera.
‘Je ziet er leuk uit!’ zegt Limi als ze de foto bekijkt.

Ze maakt nog twee extra foto’s.
Dan geeft ze de camera aan Tirza.
Als een fotomodel gaat ze in de hoek van de kamer staan.

Ze trekt haar ene been wat op.
Rug recht en hoofd omhoog.
Ze kijkt heel uitdagend.
'Waar heb je dat geleerd?' giechelt Tirza.
'Gezien op tv,' antwoordt Limi.

Tirza maakt ook drie foto's van Limi.
'Zo nu moeten we ze op de computer zetten,' zegt Tirza.
'Daar heb ik een snoertje voor nodig.'
Ze rent de trap weer af om in de kast te kijken.
Ja, gelukkig, het snoertje ligt er.
Ze haast zich weer naar boven.
De foto's slaat ze op in de computer.
Ze kan die later wel op de goede plaats op de site zetten.
Nu snel de camera terugbrengen.
Opnieuw rent ze naar beneden.
De camera stopt ze weer in de jas van haar moeder.

'Pffff, net op tijd,' zucht ze, als ze op haar bed ploft.
Limi laat zich naast haar vallen.
Samen lachen ze tot ze buikpijn krijgen.
'Oh nee, hè,' bedenkt Tirza.
'Ik had de foto's moeten wissen in de camera.'

Weer rent ze de trap af.
Haar moeder kan er zo zijn.
Ze pakt de camera uit de jaszak.
Wissen. Hoe moest dat ook alweer?
Ze probeert wat knopjes uit.
De camera piept en laat oude foto's zien.
Fout, fout. Wat nu?
Nadenken, Tirza, zegt ze in gedachten.
Aha, ze weet het weer.
Snel haalt ze de foto's van haar en Limi van de camera.

Dan stopt ze de camera weg.
Limi komt naar beneden gerend.
'Je hebt het snoertje vergeten.'
'Oh, stom, stom.
Zie je nou, ik kan helemaal geen stiekeme dingen doen.'

Tirza legt het snoertje terug in de kast.
Ze zijn nog maar net boven als Tirza's moeder thuiskomt.
Ze komt naar boven.
'Oh help, weg die site,' zegt Tirza.
Ze klikt de pagina weg.
De deur van haar kamer gaat open.
'Hoi mam,' zegt Tirza onschuldig.
'We maken huiswerk samen.
Mag Limi blijven eten?'
'Ja hoor, als het van haar vader mag.'
'Vast wel,' zegt Limi, 'mijn vader komt altijd laat thuis.'
Tirza's moeder gaat naar beneden om eten te koken.
'Leuk joh.
Nu hebben we de hele avond om jongens te bekijken,'
lacht Limi.

Jochem

'Ik heb een héél leuke jongen gevonden op de site,'
zegt Tirza.
Het is een week later.
Tirza en Limi zijn op school.
Limi is elke avond bij Tirza huiswerk gaan maken.
Dan konden ze ook steeds even berichten sturen.
En ze kregen zelf ook vaak post.
Ze hebben al bijna honderd berichten samen.
Limi kreeg de meeste post.
Haar foto is echt heel goed gelukt.
En ze heeft er nog drie foto's bijgezet.
Ook hebben ze al uren zitten chatten.
Dat lukt ook steeds sneller.
Gisteren moest Limi sporten.
Tirza heeft toen alleen op de site gesnuffeld.

'Vertel, vertel,' zegt Limi.
'Hij heet Jochem en ik heb hem mijn msn-adres gegeven.
En mijn echte naam.'
'Ga je met hem msn'en?' vraagt Limi.
'Ja vanavond. Kom je ook?'
'Tuurlijk! Spannend. Wat weet je van hem?'
'Hij is negentien en heeft een heel leuke foto,' zegt Tirza.
'Meer, meer, vertel meer!'
'Hij studeert en hij zit op kamers.
Hij heeft ook een auto.'
'Negentien? En al een auto?'

'Ja,' glundert Tirza, 'daar heeft hij ook een foto van.
Maar ik denk dat hij mij niet leuk genoeg vindt.
Is mijn foto wel cool, denk je?'
'Doe niet zo raar, natuurlijk is je foto goed.
Ik heb hem toch genomen,' zegt Limi.
'Gisteren heb ik tot elf uur met hem zitten msn'en,'
zegt Tirza.
'De hele avond?' vraagt Limi.
'Ja,' glundert Tirza.
'We hebben elkaar heel veel verteld.
Hij vindt ook dat mijn ouders te streng zijn.
Hij begrijpt me echt heel goed.
Het was echt kicken.'

De zoemer gaat, ze moeten naar de les.
Saai, saai. Tirza wil naar huis en gaan chatten.
Ze stuurt een briefje naar Limi.

Jochem wordt vast mijn eerste vriend

Ze krijgt een briefje terug.

Vind je hem niet te oud?
Jij bent pas veertien

Snel stuurt Tirza nog een briefje:

Juist spannend toch?
Ik houd niet van kleuters

’s Avonds gaat Limi al voor het eten naar Tirza.
Haar vader is toch niet thuis.
Dan kan ze net zo goed alvast naar Tirza gaan.
Limi woont alleen met haar vader.
Haar moeder is teruggegaan naar de Antillen.
Met haar twee zusjes.
Limi was toen negen jaar.
Haar vader bleef hier.
Limi wilde bij haar vader blijven.
Daarna heeft Limi haar moeder nooit meer gezien.
Haar vader en moeder hebben ruzie.
Gelukkig kan ze het met haar vader erg goed vinden.
Dat is echt haar grote vriend.
Maar hij werkt ook veel.
Daarom is Limi graag bij Tirza.
Een gewoon gezin.
Met elke avond warm eten.
Niet van die pizza’s uit de oven.
Limi geniet daarvan.

‘Hij is wel knap, ja,’ zegt Limi.
Tirza en Limi kijken samen naar de foto’s van Jochem.
‘Weet je wat ik zo leuk vind?’ vraagt Tirza.
‘Nou?’ Limi kijkt haar vragend aan.
‘Kijk, hij heet gewoon Jochem.
Die rare namen die ze daar kiezen op de site.
Dat is toch niet te onthouden.
En dan schrijven ze berichtjes die ik niet kan lezen.

SgaTjuh,

staat er dan.
Dan bedoelen ze dat ze me een schatje vinden.
Ik begrijp daar niks van.

Jochem schrijft gewóón.
En erg lief!!'
'Ja, maar hij is ook wel een beetje saai,' vindt Limi.
'Juist origineel, joh,' zegt Tirza.

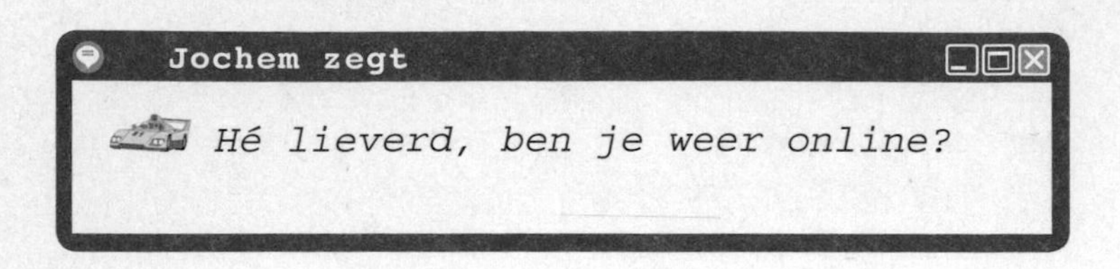

leest Tirza op het scherm.
Haar hart bonkt meteen.
Haar wangen worden vuurrood.
Jochem is er weer!
En hij noemt haar lieverd.

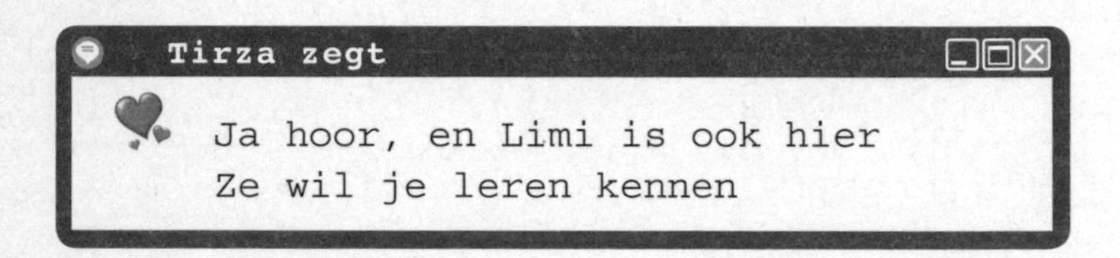

stuurt Tirza als antwoord.

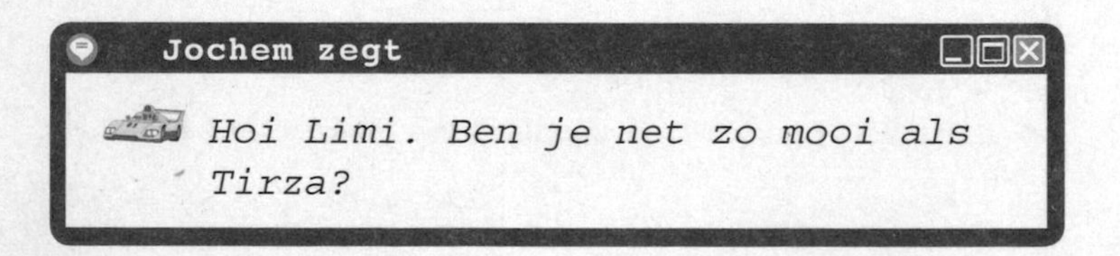

'Zie je wel,' zegt Limi.
'Hij vindt je mooi.

Jij twijfelt altijd veel te veel.'
Ze tikt een antwoord in voor Jochem.

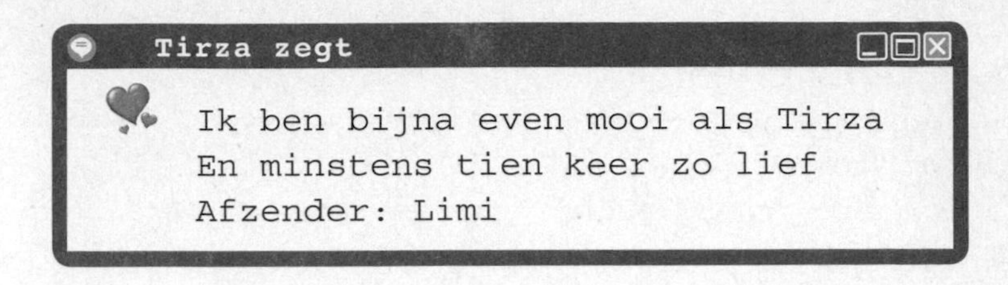

Het duurt even voor er een antwoord komt.

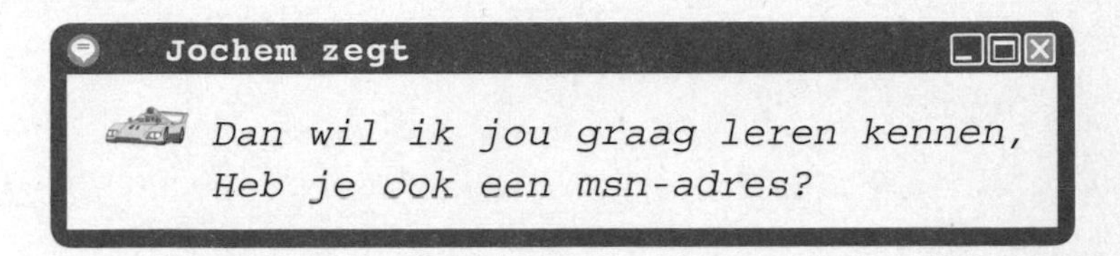

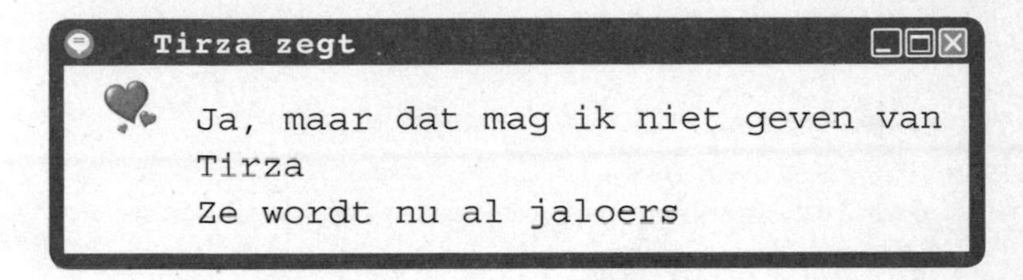

tikt Limi in.

Tirza en Limi krijgen de slappe lach.

'Je gaat hem niet van me afpakken, hè,' dreigt Tirza.
'Ik zou niet durven,' zegt Limi.
'Trouwens, ik wil een vriend van zeventien.
Ik vind negentien te oud.'
'Wat maakt dat nou uit?
Als je elkaar maar begrijpt,' vindt Tirza.
'Nou, ik weet niet.
Een jongen van negentien
heeft misschien al veel vriendinnen gehad.
Ik heb nog maar met één jongen gezoend.'
'Ik vraag het hem meteen,' zegt Tirza.

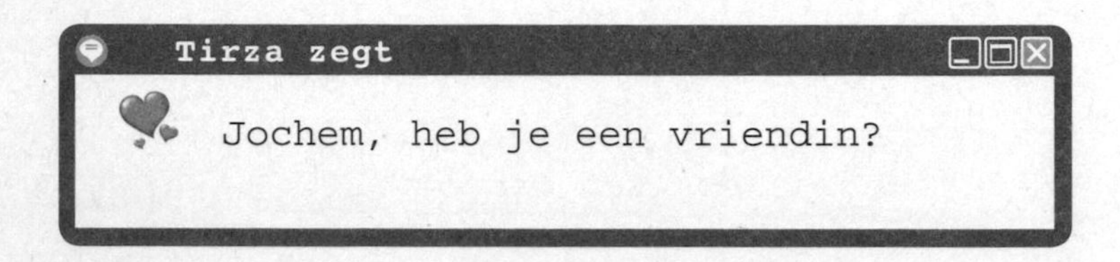

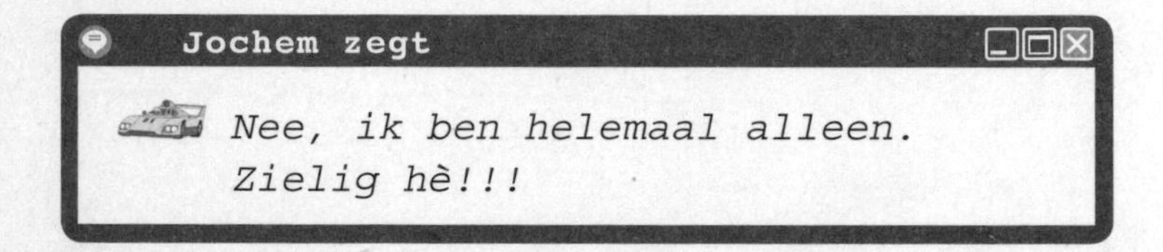

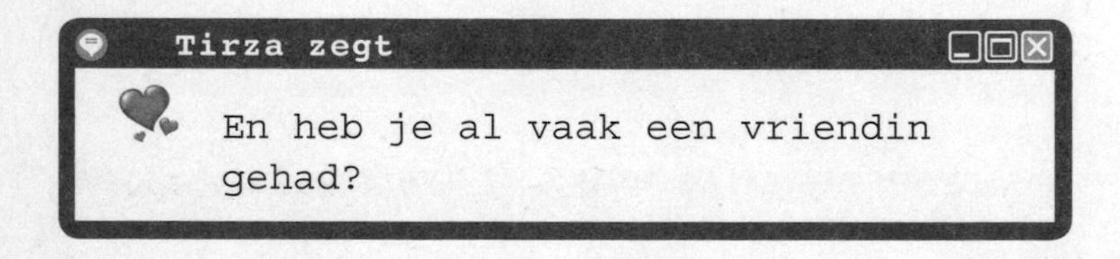

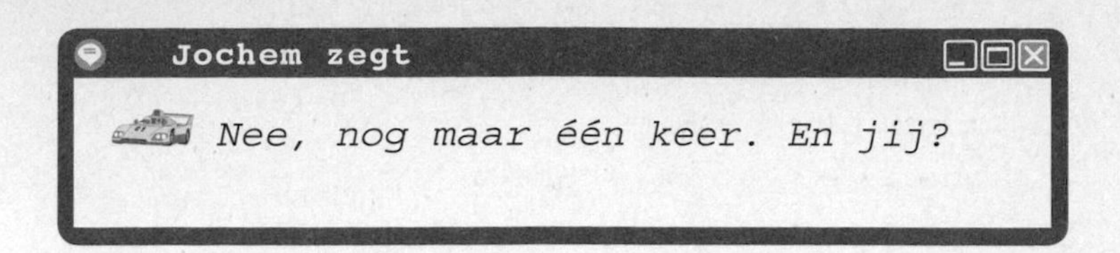

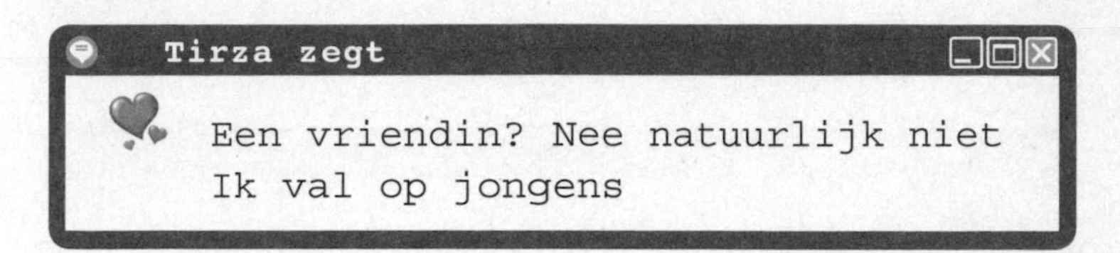

Tirza bloost als ze dat leest.

tikt Limi in.

Er komt geen antwoord van Jochem.
'Wat doe je nou?' schrikt Tirza.
'Straks denkt hij dat ik hem niet leuk vind.'

'Je moet zorgen dat hij moeite voor je doet.
Laat hem maar denken dat je al een vriend hebt,'
zegt Limi.
'Nee joh, straks gaat hij met een ander chatten.
Doe niet zo raar,' Limi.'

Tirza tikt een nieuw bericht in:

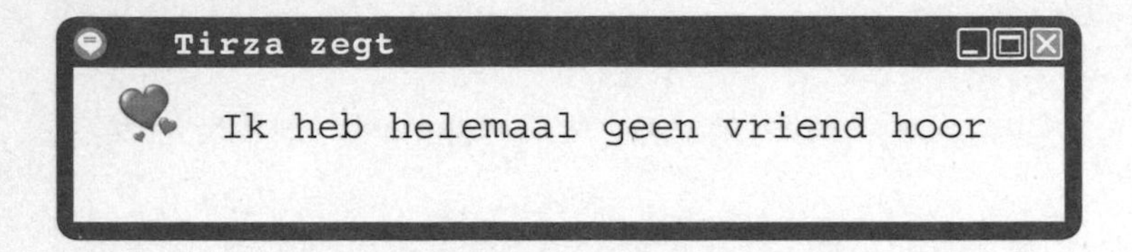

Er komt meteen een antwoord van Jochem.

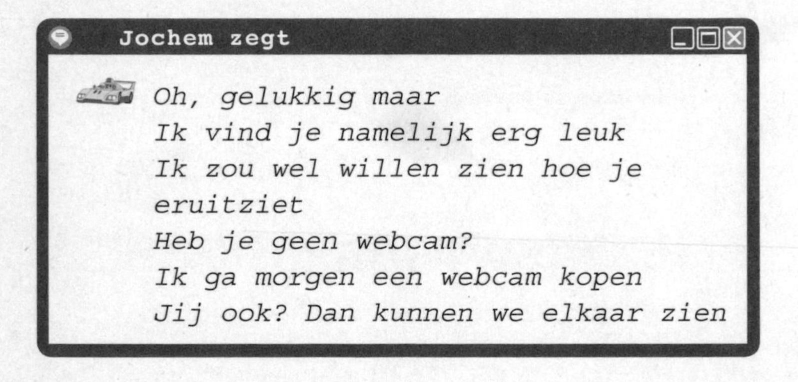

Tirza is er even stil van.
Ze heeft geen geld voor een webcam.
Maar het lijkt haar leuk.
Dan is het veel echter.
Ze is benieuwd naar Jochem.

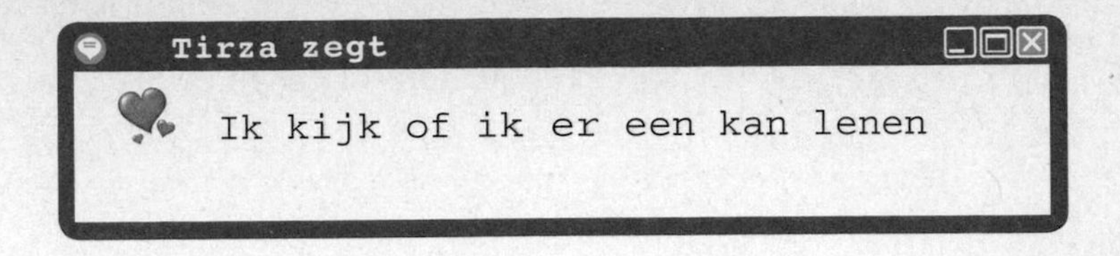

tikt ze in.
Er is vast iemand op school die haar een webcam wil lenen.

HOOFDSTUK 3

Webcam

De volgende dag probeert Tirza een webcam te lenen.
Ze vraagt al haar vriendinnen ernaar.
Ze heeft niet genoeg geld om er zelf een te kopen.
Aan haar ouders hoeft ze het niet te vragen.
Ze mag niet eens foto's op de site zetten.
Met een webcam chatten mag zeker niet.
Haar ouders zijn veel te bezorgd, vindt Tirza.
Er is niemand die haar een webcam wil lenen.
Zelfs niet voor een avond.
Tirza baalt.

In de pauze komt Arinze naar haar toe.
Hij zit bij Tirza in de klas,
al is hij twee jaar ouder dan Tirza.
Vaak loopt hij alleen op het plein.
Arinze heeft niet veel vrienden.
Hij is nog niet lang in Nederland.
Dat hoor je goed aan zijn grappige accent.
Hij vindt Tirza leuk.
Maar Tirza loopt meestal met Limi.
Dan giechelen ze samen.
Maar nu niet.
Daarom gaat hij naar haar toe.
'Je loopt te kniezen, Tirza,' zegt hij.
Kniezen, dat woord heeft hij net geleerd.
Hij vindt het een leuk woord.
'Ja dat klopt, ik baal,' zegt Tirza.

'Ik wil chatten met een leuke jongen.
Niemand wil mij een webcam lenen.'
'Je mag die van mij wel lenen,' zegt Arinze.
'Maar ik zou het leuker vinden als je met mij zou chatten.'
Hij lacht naar haar.

Tirza kijkt hem verbaasd aan.
Meent hij dat nou?
Wil hij chatten met haar?
Zou Arinze meer contact willen?
Ze heeft dat nooit gemerkt.
Het is vast een grapje.
Waarom doet iedereen zo ingewikkeld.
Ze vindt het moeilijk om steeds te raden wat iemand bedoelt.
Maar ze durft het ook niet te vragen.
Ja, het is vast een grapje.

'Je hebt toch geen webcam?' zegt Tirza.
'Jawel hoor, en je mag hem lenen.
Ik zit de laatste tijd niet meer te chatten.
Ik heb hem van een oom gekregen.
Toen mijn moeder en zusje nog niet in Nederland waren.
Nu wonen we allemaal bij elkaar.
Ik gebruik hem niet meer,' zegt Arinze.
'Echt? Hartstikke leuk!
Weet je ook hoe je hem moet aansluiten?' juicht Tirza.
Ze springt op en neer van blijdschap.
'Ik kom hem vanavond brengen,' belooft Arinze.
'Prachtig!' roept Tirza.
'Maar zeg tegen mijn ouders dat we huiswerk gaan maken.
Ik mag niet chatten van mijn moeder.'
'Mij best,' zegt Arinze.

's Avonds sluit Arinze de webcam aan voor Tirza.

'Kijk je wel uit met wie je gaat praten?' vraagt hij.
'Er zijn soms rare mannen aan het chatten.'
'Waarom doet iedereen toch zo bezorgd?' klaagt Tirza.
'Ik ben al veertien hoor.
Ik weet heus wel wie ik kan vertrouwen.'
'Ach ja, natuurlijk,' zegt Arinze.
'Maar ik hoor soms rare dingen.
Kijk gewoon een beetje uit.'
Tirza vindt het leuk dat hij bezorgd is.
Misschien moet ze hem beter leren kennen.
Ze heeft nooit gemerkt dat hij zo aardig is.
En knap is hij ook.
Met zijn zwarte krullen en bruine ogen.
Hij is een kop groter dan zij.
Hij ziet er stoer uit.
Hij is leuk.
Maar nu gaat ze met Jochem chatten.
Als hij nou maar online komt.

Ze brengt Arinze naar de voordeur.
'Dag,' zegt Arinze.
Hij geeft haar een zoen op haar wang.
Tirza schrikt ervan.
'Ja... uhm... ja, daag,' zegt ze.
Het schroeit op haar wang.
Hij gaf haar zomaar een zoen.
Wat is dat nou weer?
Snel rent ze naar boven en ze gaat online.

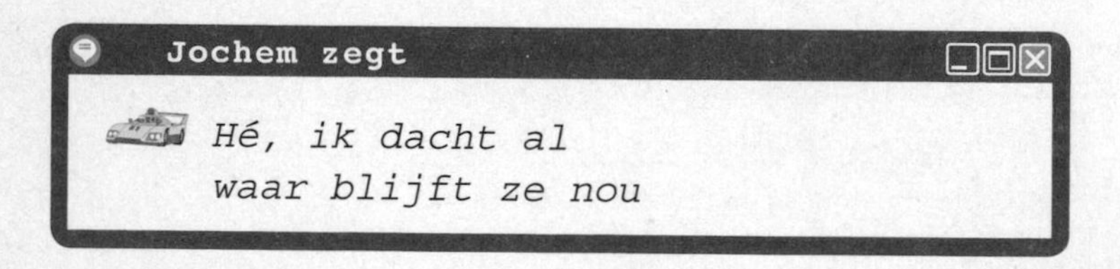

Ha! Jochem heeft al op haar zitten wachten.
Tirza bloost, zo blij is ze.

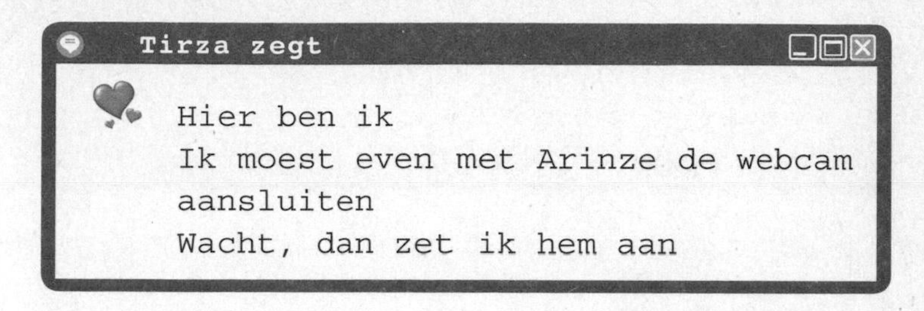

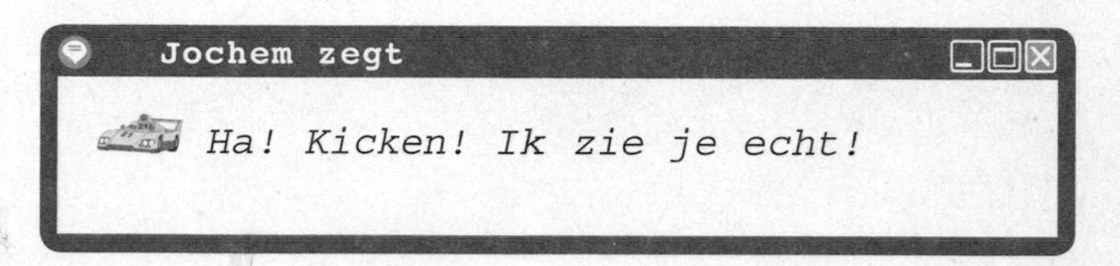

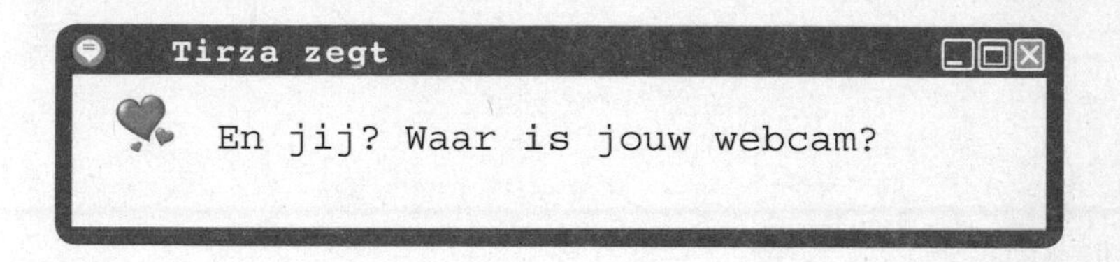

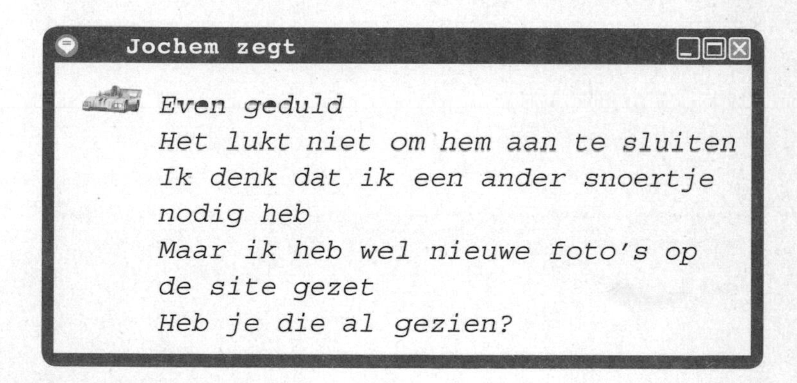

Tirza gaat naar de site.
Er staan drie nieuwe foto's.
Het lijkt wel of Jochem langer haar heeft.
Ze kan niet zo goed zien dat hij het is.
Hij draagt een zonnebril.

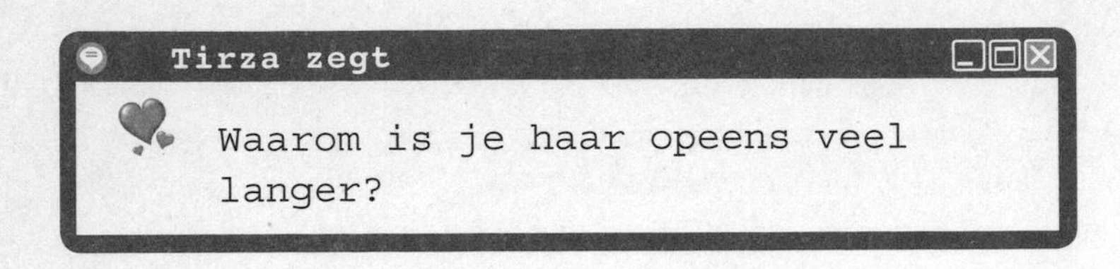

Een modellenbureau!
Tirza droomt er al tijden van om model te worden.

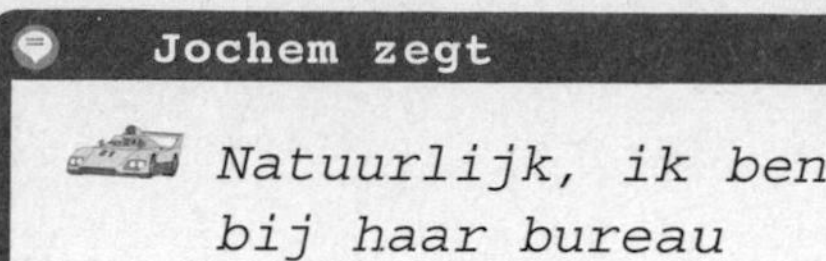

Jochem zegt

Natuurlijk, ik ben ook ingeschreven bij haar bureau
Vandaag hebben we ook weer foto's gemaakt

Tirza zegt

Oh, dat zou ik zó graag willen!!!

Jochem zegt

Misschien kan dat wel
Ik ben nu thuis bij mijn ouders
Ik kan mijn moeder even roepen
Ze kan je zien via de webcam
Misschien vindt ze je oké
Ze zoekt nieuwe meisjes

Tirza zegt

Vet!!!!
Dat vind ik spannend!!

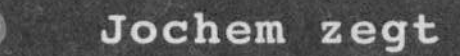

Dan moet je wel even iets anders aandoen
Als je zo'n wijde trui aanhebt
kan mijn moeder je niet goed zien
Heb je geen mooi slipje?
Of een bikini?

Tirza zegt 

Ja hola, ik ga hier niet bijna bloot voor de webcam zitten

Jochem zegt 

Oké, dan niet
Je bent misschien een beetje jong om model te zijn

Wat een rotopmerking, vindt Tirza.

Tirza zegt 

Ik ga nu huiswerk maken

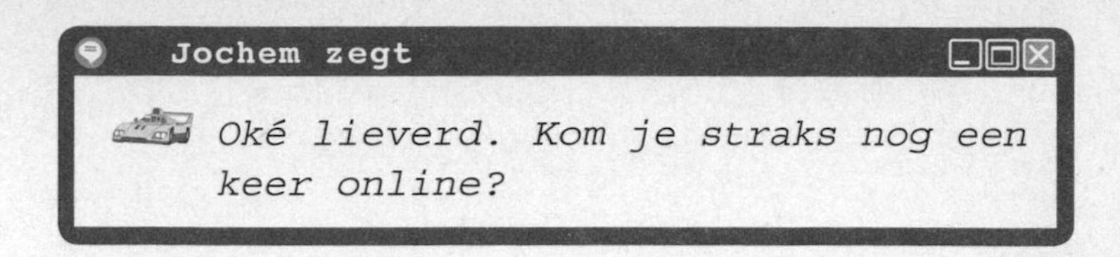

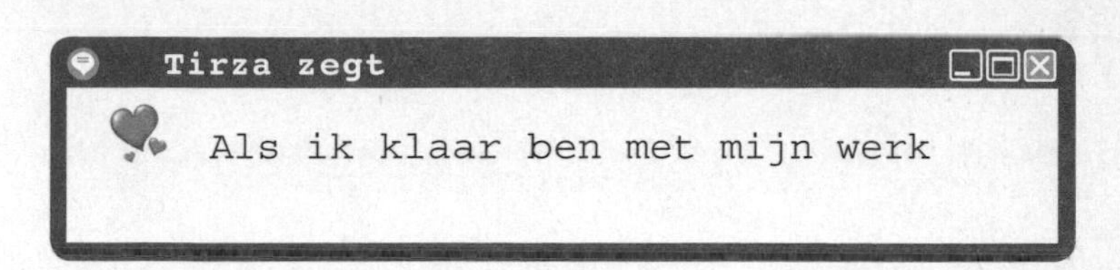

Ze snapt niks van haar huiswerk.
Het is moeilijk om goed te lezen wat er staat.
Ze moet steeds aan Jochem denken.
Is het niet raar dat hij vraagt of ze in bikini voor de webcam wil?
Ze kent hem nog maar een paar dagen.
Maar ze hebben al veel gekletst.
Ze kan hem wel vertrouwen.
Hij begrijpt haar goed.

Misschien heeft hij gelijk.
Als model moet je natuurlijk vaak met weinig kleren aan op de foto.
Dat is dan heel gewoon.
Op het strand loopt ze ook in bikini.
Dan vraagt ze zich nooit af wie er naar haar kijkt.
Ze is een beetje kinderachtig geweest.
Daar heeft Jochem gelijk in.
Zal ze weer online gaan?
Nee, eerst maar haar huiswerk.
Ze haalt de laatste dagen slechte cijfers.
Ze raakt steeds in de war door alle nieuwe dingen.
Misschien was het toch niet zo slim.

Tirza meldt zich weer aan bij msn.

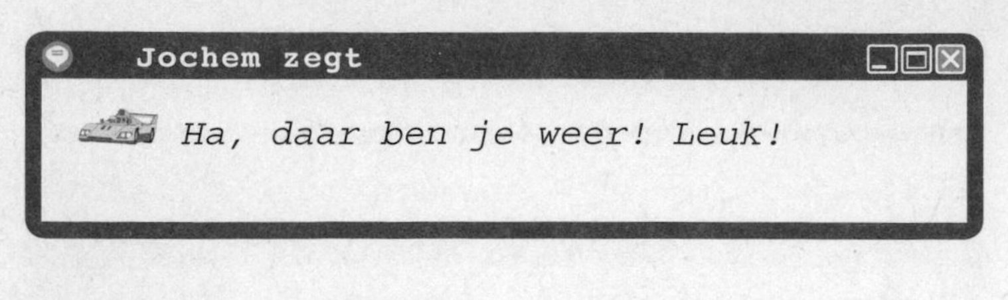

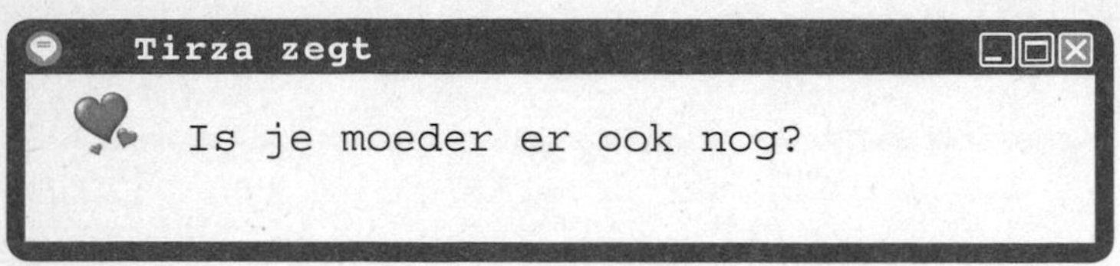

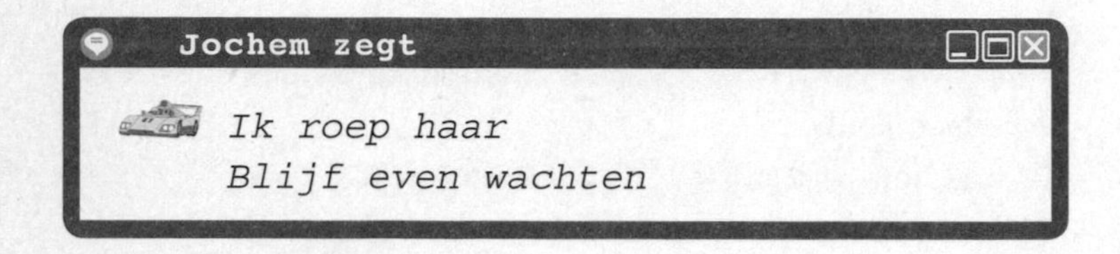

Nu wordt het echt spannend.
Tirza zoekt haar leukste bikini.
Die doet ze aan.
Het is raar om in de herfst in je bikini te zitten.
Dat lijkt veel bloter dan wanneer de zon schijnt.
Ze vindt het spannend.
Het lijkt of er iets niet klopt.

Dan sluit ze de webcam weer aan.

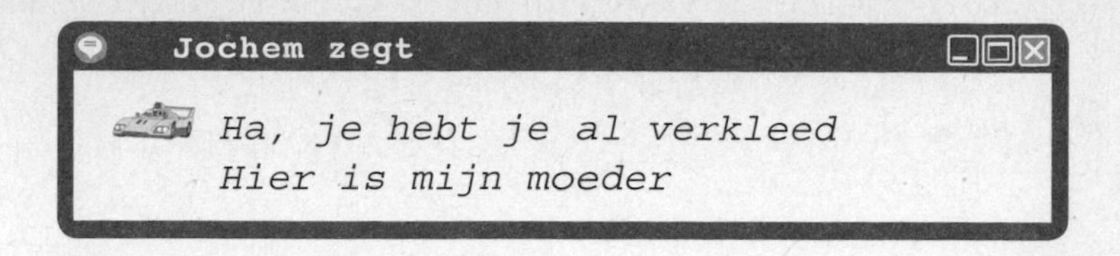

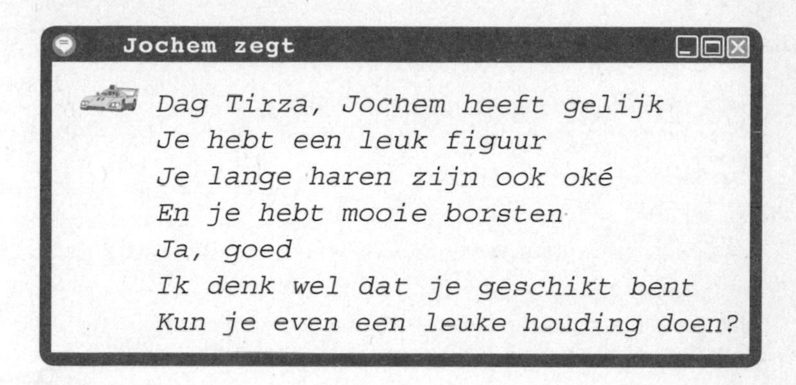

Tirza heeft vaak in bladen gezien hoe de modellen
gaan staan.
Een beetje sexy en een beetje uitdagend.
Zij doet het na.

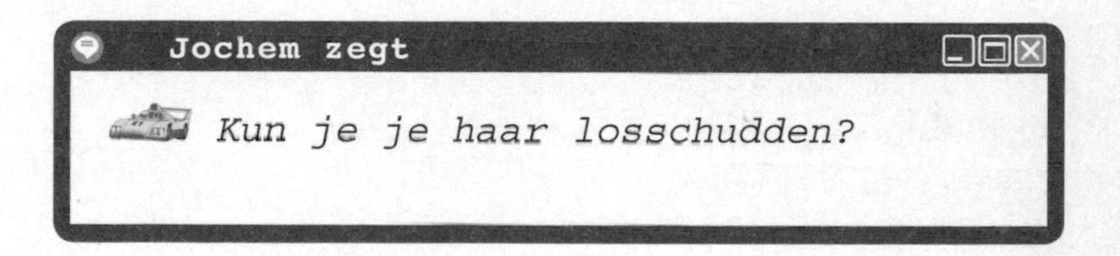

vraagt Jochems moeder.
Tirza doet wat er gevraagd wordt.

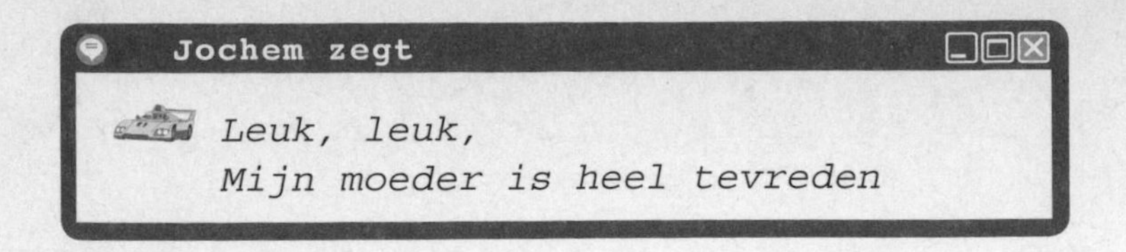

tikt Jochem in.

Tirza ziet het licht aangaan boven de trap.
Oh help! Als haar moeder maar niet binnenkomt.
Snel sluit ze de computer af.
Ze trekt het kabeltje van de webcam los.
Ze stopt alles in haar la.
Net op tijd.
Haar moeder komt de kamer binnen.
'Wat doe jij nou in je bikini?' vraagt haar moeder.
'Waarom klop je niet?' vraagt Tirza.
'Sorry, dat zal ik voortaan doen,' zegt haar moeder.
'Maar vertel me eens waar je mee bezig bent.'
'Uhm.. we willen... Limi wil morgen naar de winkel.
Er is uitverkoop van bikini's.
Ik wilde kijken of de mijne nog past,' verzint Tirza.
Ze krijgt een rode kleur.
Ze kijkt naar haar voeten.
Wiebelt van de ene voet op de andere.
'Uitverkoop? Nu?'
Haar moeder gelooft haar niet.
Wat moet ze nu doen?
'Ga eens gauw aan je huiswerk.
Dat lijkt me slimmer,' moppert haar moeder.
'Ja mam,' zegt Tirza braaf.
Gelukkig, haar moeder vertrekt.
Nu moet ze Jochem nog uitleggen waar ze ineens was.
Ze logt opnieuw in.

Een uitnodiging!

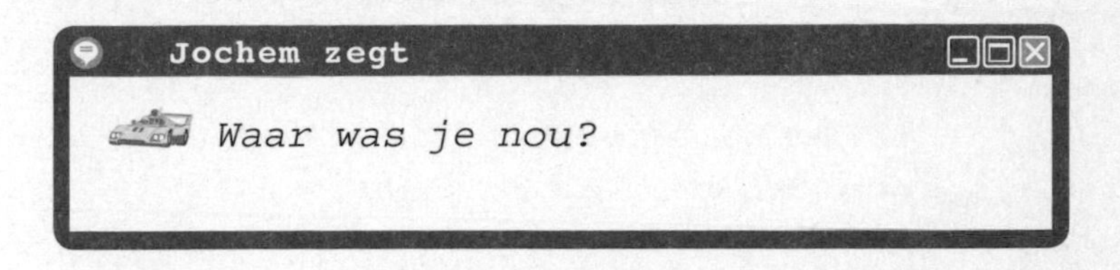

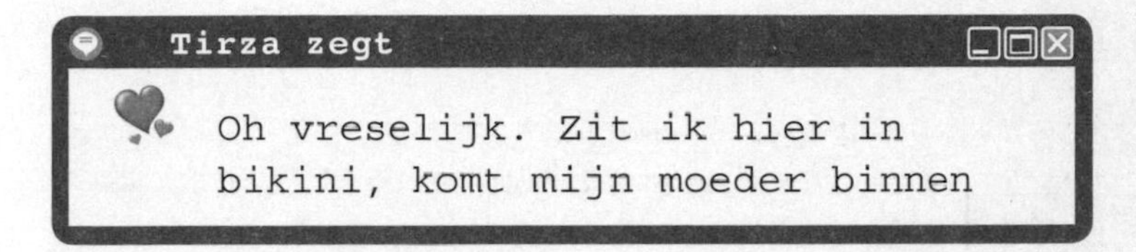

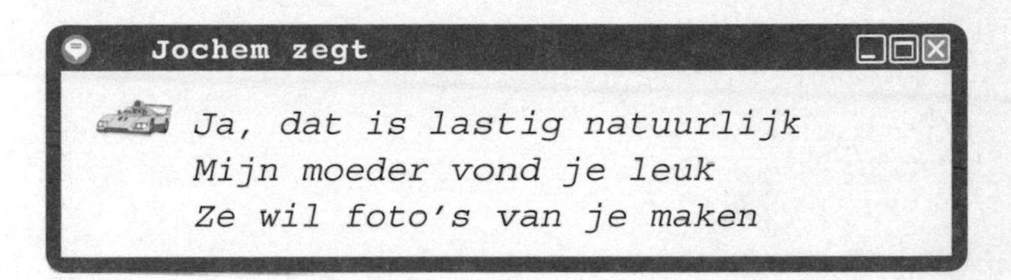

Het hart van Tirza slaat drie slagen over.
Zou het echt lukken?
Zou ze model kunnen worden?
Dat is toch niet te geloven?

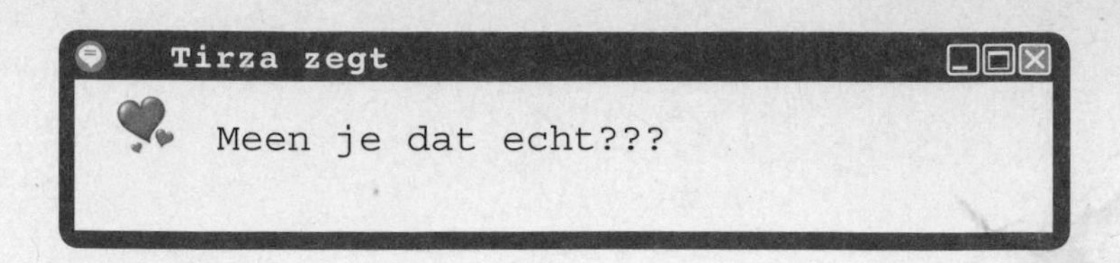
Tirza zegt
Meen je dat echt???

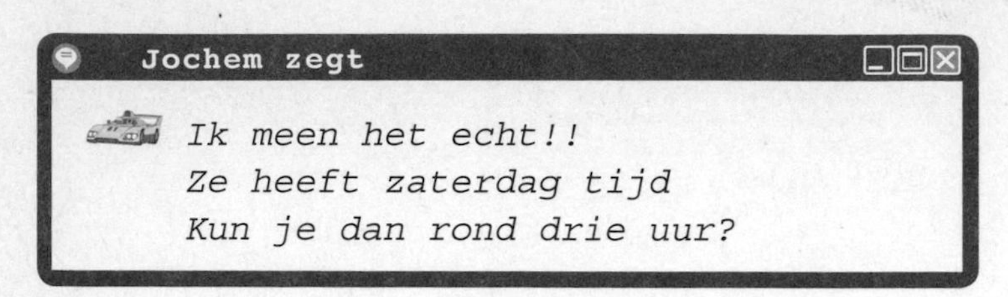
Jochem zegt
Ik meen het echt!!
Ze heeft zaterdag tijd
Kun je dan rond drie uur?

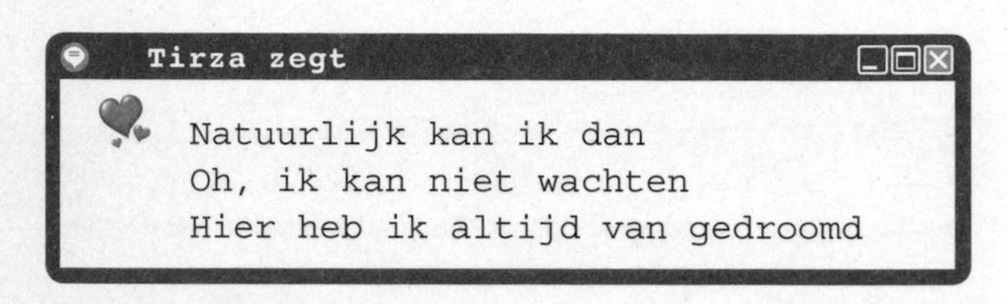
Tirza zegt
Natuurlijk kan ik dan
Oh, ik kan niet wachten
Hier heb ik altijd van gedroomd

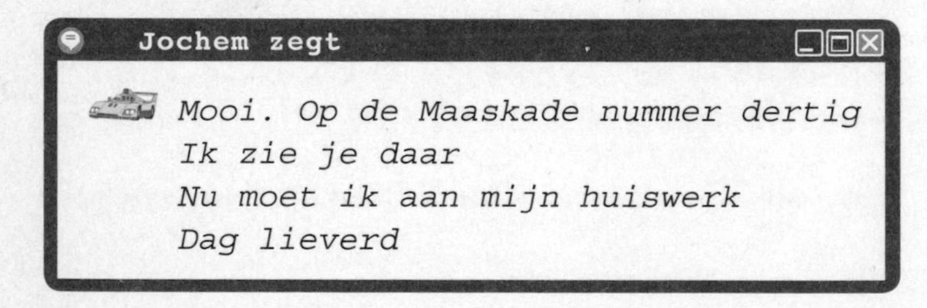
Jochem zegt
Mooi. Op de Maaskade nummer dertig
Ik zie je daar
Nu moet ik aan mijn huiswerk
Dag lieverd

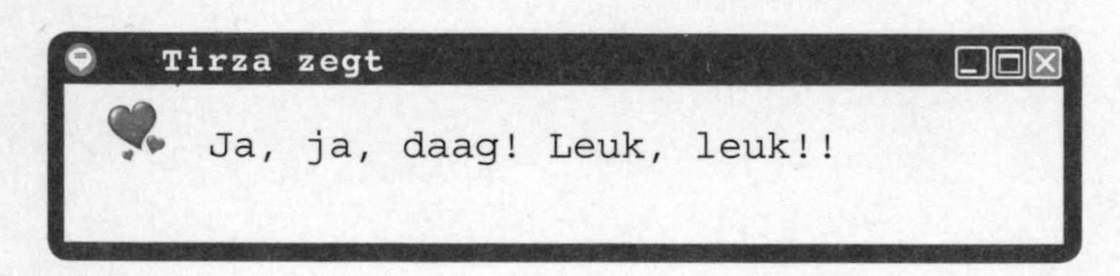
Tirza zegt
Ja, ja, daag! Leuk, leuk!!

Tirza zit helemaal te gloeien.
Het gaat lukken!
Foto's maken en Jochem zien!
Ze is erg benieuwd hoe hij eruitziet.
Ze kan het bijna niet geloven.
Het staat er echt.
Ze wil Limi bellen, maar die slaapt vast al.
Het duurt wel lang om tot morgen te wachten.
Ze gaat naar bed, maar kan niet slapen.
Morgen is het pas donderdag.
Soms zou ze willen dat de tijd sneller ging.

Zaterdag? Oh jee.
Zaterdag moet ze trainen voor het dansen.
Over twee weken is er een belangrijke wedstrijd.
Haar team doet mee met streetdance.
Zaterdag is er een extra training.
Daar heeft ze niet aan gedacht.
Dat zal Limi niet leuk vinden.
Ze gaan altijd samen.
Morgenavond is er ook dansen.
Dan zal ze moeten uitleggen waarom ze zaterdag niet kan.
Wat zal ze verzinnen?
Ze ligt te woelen.
Het duurt uren voor ze slaapt.

De volgende ochtend is Tirza doodmoe.
Ze heeft maar een paar uur geslapen.
Toch springt ze haar bed uit als de wekker gaat.
Ze wil snel naar school en Limi spreken.
Die zal het vast prachtig vinden van de foto's.
Limi zou zelf ook wel model kunnen worden.
Ze is heel knap.
Zwarte krullen, diepbruine ogen.

En een heel mooi bruin kleurtje.
Misschien zijn gekleurde modellen niet zo in, denkt Tirza.
Of toch wel?
Ja, in tijdschriften ziet ze ook vaak donkere meiden.
Vreemd, dat ze daar nu zo over denkt.
Limi is altijd gewoon Limi voor haar.
Het valt haar nooit op dat ze gekleurd is.

Tirza fietst razendsnel naar school.
Is Limi er al? Nee, ze ziet haar niet.
Arinze is er wel.
Hij loopt in zijn eentje op het plein.
'Hé Arinze! Supergoed die webcam.
Ik heb hem gebruikt gisteren.
Jochem zijn moeder vond me geschikt,' ratelt Tirza.
'Sorry, waar gaat dit over?' vraagt Arinze.
'Nou Jochem! Die jongen waar ik mee chat.
Zijn moeder heeft een modellenbureau.
En een fotostudio.
Zaterdag maakt ze foto's van me.
Ze zag me via de webcam.'
'Tirza, doe normaal,' zegt Arinze.
'Je gaat toch geen model worden?'
'Dus wel!' zegt Tirza.
'Daar droom ik al jaren van.
Nu krijg ik mijn kans.'
'Ik hoop maar dat je weet wat je doet,' antwoordt Arinze.
Hij gaat ervandoor.

Nou ja, denkt Tirza.
Wat is die ongezellig zeg.
Dan ziet ze Limi komen.
Ze danst om de fiets van Limi.
Die valt bijna met haar fiets.

'Ik ga model worden, Limi!
Zaterdag ga ik foto's maken.
Vind je het niet prachtig?!' roept Tirza.
'Waar heb jij het nou over?' vraagt Limi.
'Oh ja, dat weet je nog niet.'
Tirza vertelt opnieuw het verhaal.
'Nou, het gaat een beetje snel,' zegt Limi.
'Doe normaal, joh!' zegt Tirza.
'Zeg dat je hartstikke blij bent voor me.
Het is toch een geweldige kans.
Ben je jaloers of zo?'
'Ik ben helemaal niet jaloers.
Maar je kent die jongen nog maar net.
Ga je al met hem afspreken?
Trouwens, zaterdag gaan we trainen,' antwoordt Limi.
'Zaterdag ga jij trainen bedoel je,' zegt Tirza.
'Ik ga naar Jochem.'

'Tirza luister nou.
Ik vind het een slecht idee.
Ik weet niet waarom,
maar ik vertrouw die Jochem niet.
Hij is al negentien.
Jongens van die leeftijd vinden ons niet leuk.
Die zoeken een vriendin van zeventien.
Het gaat te snel,' vindt Limi.
'Je bent gewoon jaloers,' zegt Tirza.
Ze draait zich kwaad om.
Waarom wil niemand blij zijn voor haar?
Het is toch een geweldige kans?
Ze loopt gauw de school binnen.
Voorlopig wil ze niemand meer zien.
En zeker Limi niet.

’s Avonds bij het dansen zegt Tirza niks tegen Limi.
Ze is nog steeds boos.
Limi zegt ook niks.
Tirza maakt veel fouten bij de oefeningen.
‘Waar denk je steeds aan?’ vraagt de dansjuf.
Tirza schrikt.
Zou iedereen merken dat ze iets spannends gaat doen?
Ze wil het niemand vertellen.
Ze is bang voor nog meer nare reacties.

‘Je zult zaterdag extra je best moeten doen, Tirza.
Anders verpest je het voor ons allemaal,’ zegt de juf.
‘Je maakt nu al drie keer een verkeerde draai.
Dat kan echt niet hoor.’
‘Oké, oké,’ zegt Tirza.
‘We hebben nog twee weken.
Ik red het wel.
Ik heb slecht geslapen.
Daarom kan ik niet goed opletten.
Het komt heus goed, juf.’

Wat zal de dansjuf zeggen als ze zaterdag helemaal niet komt?
Ze durft nu niet eerlijk te zijn.
Ze hoopt dat Limi zaterdag wil zeggen dat ze ziek is.
Ze gaat het haar nu niet vragen.
Misschien is de ruzie morgen gewoon over.
Dat gebeurt vaker.
’s Morgens weten ze dan niet meer waar de ruzie over ging.
Tirza hoopt het maar.
Ze loopt alleen naar huis.
Limi gaat bij een ander meisje achter op de fiets.
Ze zwaait niet eens naar Tirza.
Stom kind, denkt Tirza boos.

Wat nu?

De volgende ochtend is Tirza opnieuw niet uitgeslapen.
Ze heeft gisteren nog twee uur zitten wachten.
Op een bericht van Jochem.
Hij kwam niet online.
Toen ze in bed lag, kon ze niet slapen.
Het wordt steeds spannender.
Jochem ontmoeten, foto's maken.
Ruzie met haar beste vriendin.
Geheimen voor haar moeder bewaren.
Tirza heeft uren liggen woelen.
Ze draaide zich om en om in haar bed.

Nu staat er een kom yoghurt voor haar.
Ze roert erin, maar ze valt bijna in slaap.
Ze vergeet te eten.
'Wat is er met jou?' vraagt haar moeder.
'Slecht geslapen,' moppert Tirza.
'Volgens mij was je nog heel laat bezig.
Waarom ben je niet meteen naar bed gegaan?'
vraagt haar moeder.
Tirza popelt om haar moeder alles te vertellen.
Ze wiebelt met haar benen en bijt op haar nagels.
'Waarom ben je toch zo onrustig?' vraagt haar moeder.
Tirza roert nog eens in haar yoghurt.

'Ik heb een jongen ontmoet,' zegt Tirza.
'Oh leuk! Op school?' vraagt haar moeder.

'Nee, via een website op de computer.'
'Via de computer?
Dan ken je hem dus helemaal niet?
En je hebt hem ontmoet zeg je.'
Tirza's moeder kijkt haar streng aan.
'Nou ja, ontmoet... ik heb met hem gechat.
Hij is heel aardig.
Ik kan lekker met hem kletsen op msn,' zegt Tirza.
'En daarom ga je zo laat naar bed?'
'Ja, eigenlijk wel een beetje te laat,' bekent Tirza.
'Je gaat toch geen foto's naar hem sturen, hè?
Pas op, Tirza!
Vertrouw niet iedereen op de chat.'
'Nee mam,' liegt Tirza.
Ze weet heus wel waar ze mee bezig is.
Was er nou maar iemand blij voor haar.

'Hoe oud is hij?' vraagt haar moeder.
Oh help, negentien vindt haar moeder vast te oud.
Straks pakt ze de computer weer af.
'Hij is bijna zeventien,' zegt Tirza.
'Nou ja, dat kan. Jij bent bijna vijftien.
Dat scheelt twee jaar.
Papa en ik schelen ook twee jaar,' bedenkt haar moeder.
Gelukkig, ze gaat niet moeilijk doen.
'Maar je gaat toch geen afspraak met hem maken?
Als je hem wilt zien, dan nodig je hem hier maar uit.
Dan kan ik zien wat het voor jongen is.'
'Ja mam, daar zit hij op te wachten zeker.
Gekeurd worden door mijn moeder.
Nee, ik zal niks afspreken.
Gewoon kletsen via de computer,' zegt Tirza.
Ze heeft het een beetje warm.
Als haar moeder nou maar niks doorkrijgt.

'Oké, als je huiswerk er maar niet onder lijdt,'
zegt haar moeder.
'En vanavond op tijd naar bed!'
Tirza pakt haar jas.
Snel naar school voor haar moeder nog meer vraagt.

'Hoi lieverd, ben je nog verliefd?'
roept Limi als ze Tirza ziet.
Tirza zucht opgelucht.
Zie je wel, ruzies met Limi gaan vanzelf over.
'Ben je niet meer boos?' vraagt Tirza.
'Nee, ik was helemaal niet boos.
Jíj liep te mokken,' antwoordt Limi.
'Maar ik vind het nog steeds niet slim van je.
Je kent die jongen amper.
Je gaat daar toch niet alleen heen?'
'Hij is te vertrouwen,' vindt Tirza.
Arinze komt erbij.
Hij hoort het gesprek.
'Zal ik met je meegaan?' vraagt hij.
'Ja dáág, wat moet Jochem dan denken,' zegt Tirza.
'Je zegt gewoon dat ik je broer ben,' zegt Arinze.
'Is het jou nooit opgevallen
dat je een andere kleur hebt?' lacht Tirza.
'Oh ja, natuurlijk.
Nou je buurjongen dan.'
'Dan word ik zenuwachtig, als jij meegaat,'
antwoordt Tirza.
'Nee, ik ga lekker alleen.
Het gaat vast goed.
En jullie mogen de foto's zien.'

's Avonds zit Tirza weer achter de computer.
Ze wacht tot Jochem online komt.

Aan haar huiswerk denkt ze niet meer.
Ze wacht op een seintje dat hij verschijnt.
Er zal toch niks gebeurd zijn?
Waarom is hij niet meer op msn?
Zou de afspraak morgen wel doorgaan?
Ja, natuurlijk. Anders had hij het laten weten.
Maar misschien heeft hij zich bedacht.
Of heeft hij een leuker meisje gezien op de site.
Dat zal het vast zijn.
Dan krijgt ze morgen een bericht.
Dat het toch niet doorgaat.
Nee, ze moet ophouden met zo onzeker te zijn.
Natuurlijk gaat het door.
Stop je gedachten, zegt ze tegen zichzelf.
Je maakt jezelf helemaal gek.

Om tien uur gaat ze naar bed.
Ze moet goed slapen.
Anders heeft ze morgen wallen onder haar ogen.
Dat is lelijk op de foto.
Ze zal morgen uitslapen.
Als dat lukt tenminste.
De computer laat ze aanstaan.

Ping! klinkt het om elf uur.
Dat is hem! Hij heeft ingelogd.
Tirza springt uit bed.

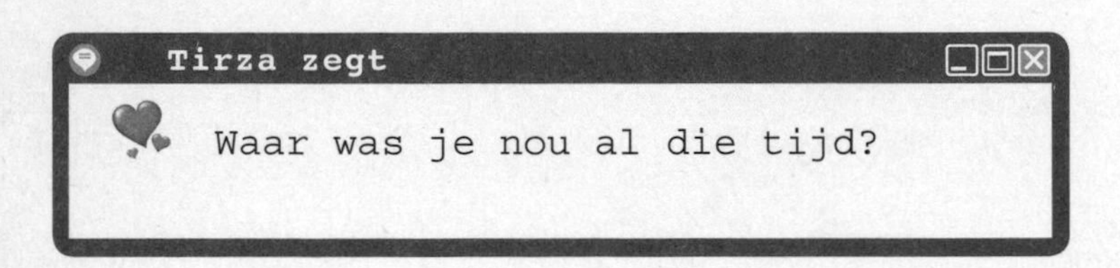

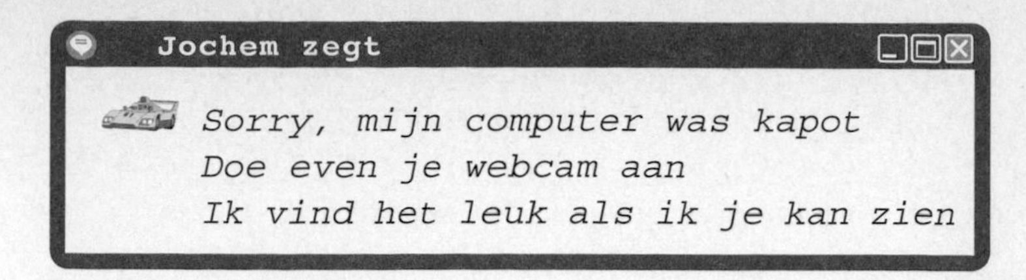

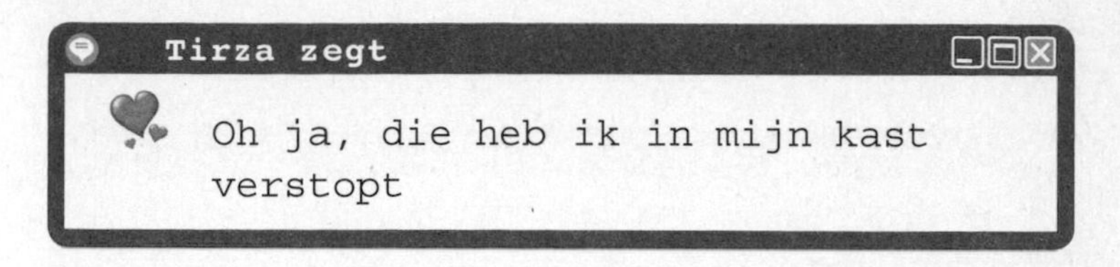

Tirza pakt de webcam en trekt snel een truitje aan.

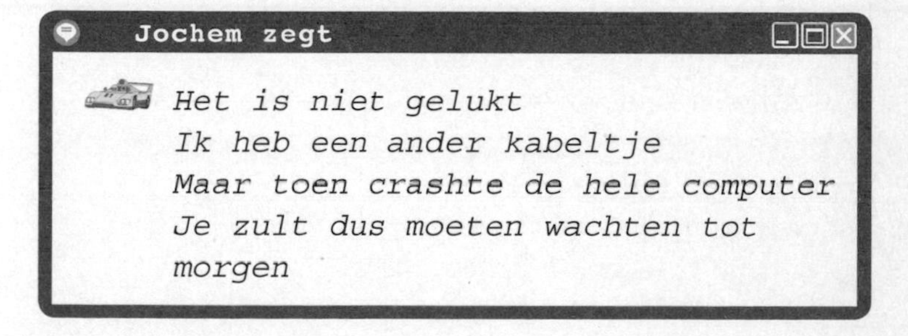

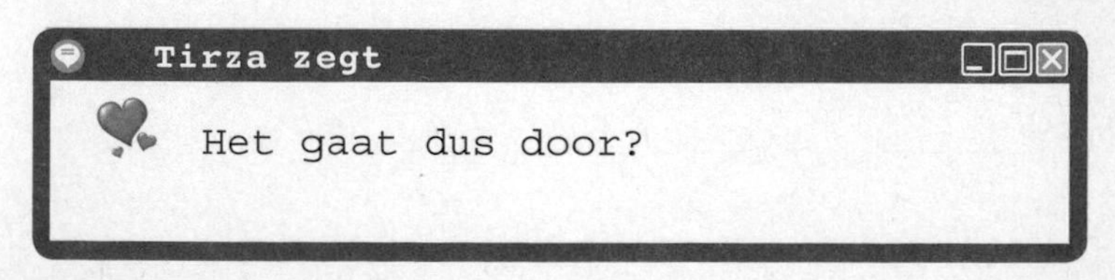

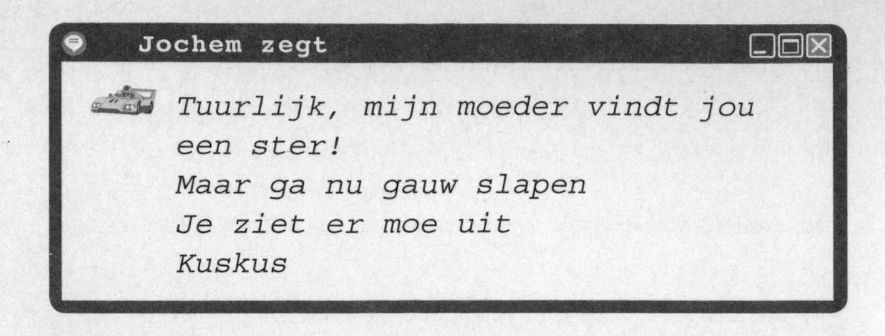

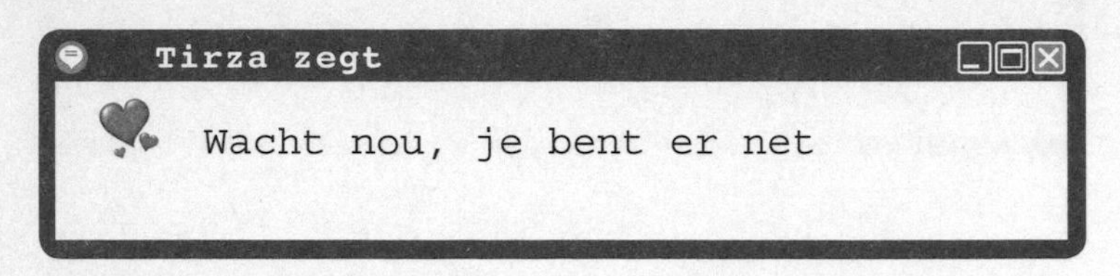

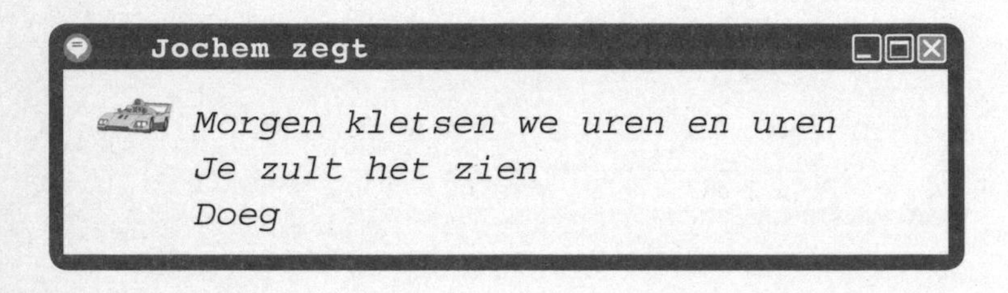

Meteen logt hij uit.
Nou ja, denkt Tirza, hij was er net.
Ze gaat naar bed.
Weer ligt ze te woelen.
Dit moet ophouden, zegt ze tegen zichzelf.
Na morgen voel ik me vast weer rustig.

Foto's

Tirza neemt de tram naar het adres van Jochem.
Het is een eind uit de buurt.
Bijna buiten de stad.
Zijn moeder heeft een studio in een loods,
heeft Jochem gezegd.
Tirza is nerveus.
Voor het eerst zal ze Jochem zien.
Zal hij net zo leuk zijn als op de foto's?
En wat zal hij van haar vinden?
Moet ze hem een zoen geven als ze hem ontmoet?
Of beter wachten tot hij haar een zoen geeft?
Ze trekt haar korte truitje iets naar beneden.
Is het niet te kort?
Ze heeft wel een mooi ringetje in haar navel.

Ze mist Limi.
Als die nu bij haar zou zijn, zou ze zich beter voelen.
Limi vertrouwt Jochem niet.
Misschien moet ze toch maar teruggaan naar huis.
Tirza vindt het erg eng.
Ze kijkt naar zichzelf in de ruit van de tram.
Ja, haar haar zit oké.
Ze pulkt aan haar nagels.
Die heeft ze vuurrood gelakt.
Ze ziet er prima uit.

Nee, zegt ze tegen zichzelf.
Er kan niks gebeuren.
Ze heeft afgesproken met Jochem.
Die is aardig.
Bovendien is zijn moeder erbij.
Die gaat de foto's maken.
Zou het echt gaan lukken?
Zou ze goed genoeg zijn om model te worden?
Ze kan het zich bijna niet voorstellen.
Wat zullen haar vriendinnen opkijken.
Zou de moeder de foto's direct klaar hebben?
Of op de computer kunnen zetten?
Dan kan ze die morgen aan Limi laten zien.
En misschien aan mama.
Zou haar moeder boos worden als ze de foto's ziet?
Nee, dat kan ze zich niet voorstellen.
Haar moeder zal trots zijn.
Dit is het eerste wat ze helemaal alleen regelt.
Ze voelt zich stoer.
Stoer en nerveus.
Ze wist niet dat dat allebei tegelijk kon.

Hier moet het ergens zijn.
Ze stapt uit en loopt het laatste stuk.
Het is geen prettige straat.
Er staan alleen loodsen en fabrieken.
Aan de andere kant van de straat is de rivier.
Het is zaterdag en erg stil.
De stenen van de straat zijn ongelijk.
Tirza heeft moeite om er te lopen.
Ze heeft laarsjes met hoge hakken aan.
Ze struikelt steeds.
Maar ze ziet er wel ouder uit,
nu ze deze laarsjes draagt.

Ze heeft ze geleend van een vriendin.
Een auto rijdt voorbij en toetert naar haar.
Er zitten vier jongens in.
Ze zwaaien naar Tirza.
Dan wacht de auto een stukje verder.
Het raampje wordt opengedraaid.
'Kunnen we je een lift geven, moppie?' vraagt de chauffeur.
Tirza zegt niks en loopt snel door.
Waarom heeft Jochem hier afgesproken?
Ze voelt zich helemaal niet op haar gemak.
De auto rijdt gelukkig door.

Waar is nummer dertig?
Het moet hier toch ergens zijn.
Ze ziet een smal pad tussen twee loodsen door.
Daarachter moet het zijn.
Ze loopt het pad in.
Er staan plassen van de regen van vanochtend.
Het kost haar moeite om haar laarsjes netjes te houden.
Hoe kan zijn moeder hier nu een studio hebben?
Ja, het nummer klopt wel.
Er is geen bel, Tirza klopt op de deur.
Een vriendelijke man doet open.
'Jij moet Tirza zijn,' zegt hij.
'Ja,' zegt Tirza, ' ik heb een afspraak met Jochem.'
'Dat weet ik,' zegt de man.
'Ik ben de vader van Jochem.
Hij moest helaas weg met zijn moeder.
Foto's maken voor een tijdschrift.
Het andere model is ziek geworden.
Jochem heeft een brief voor je neergelegd.'
De man geeft Tirza de brief.

Ze leest:

Sorry lieverd,

Ik moet helaas snel weg.
Mijn moeder ook.
We moeten opnames maken.
Mijn vader is ook een goede fotograaf.
Hij zal de foto's van jou maken.
Het gaat vast lukken.
Ik spreek je vanavond op msn.
Misschien zijn er dan ook al foto's.
Denk eraan: ontspannen en veel lachen!

Veel succes,
Kus,
Jochem.

Wat nu? Ze komt toch voor Jochem.
Tirza wil weer weggaan.
Ze vond het zo leuk dat ze Jochem zou ontmoeten.
Hoe kan hij nu iets anders gaan doen.
Hij weet toch hoe belangrijk het voor haar is.
'Is het een teleurstelling dat Jochem er niet is?'
vraagt de man.
'Ja, eigenlijk wel,' zegt Tirza.
'Ik heb hem beloofd dat ik de foto's zal maken.
Mijn vrouw heeft de komende week weinig tijd.
Zullen we het toch maar doen?
Je bent hier nu toch.
Wil je eerst wat drinken?'

De man lijkt aardig.
Er kan vast niets fout gaan.
Maar het is raar dat Jochem er zelf niet is.
Ze vindt het niet prettig,
alleen met een onbekende man in de loods.
Hoe kan ze zeker weten dat het klopt?
Hoewel...
Als Jochem er vertrouwen in heeft, moet het oké zijn.
'Doet u maar een cola,' zegt Tirza.
Wat zal ze nu doen?

De man geeft haar een cola.
Tirza heeft dorst.
Ze drinkt het bijna helemaal in één keer leeg.
Het smaakt een beetje raar.
Is het misschien een goedkoop merk?
Of heeft de fles te lang opengestaan?
'Hoe oud ben je?' vraagt Jochems vader.
'Zestien, net geworden,' liegt Tirza.
'Een heel mooie leeftijd.
Je ziet er ouder uit hoor.
Zullen we wat foto's maken?' vraagt de man.
Tirza twijfelt.
Kan ze hem vertrouwen?
Jochem heeft geschreven dat het oké is.
En waarschijnlijk krijgt ze nooit meer zo'n kans.
Ze wil al zo lang model worden.

'Oké, maar ik weet niet goed wat ik moet doen,' zegt Tirza.
Ze voelt zich een beetje zweverig.
Ze ziet de dingen niet meer scherp.
Dat komt misschien van de spanning.
'Mooi,' zegt de man.
'Je hoeft alleen maar te doen wat ik zeg.

Het wordt vast prachtig.
Ga eerst maar op dit kleed liggen.'
Er ligt een rood kleed van zacht bont.
Tirza gaat liggen.
Het is wel raar, vindt ze.
Bij een vreemde man op de grond gaan liggen.
De man geeft tips.
'Draai je maar op je buik.
Je rechterhand onder je kin.
Kijk me maar brutaal aan.
Ja, zo! Prima!'
De man klikt met de camera.

Daarna moet Tirza een andere houding proberen.
'Het gaat perfect,' zegt de vader van Jochem.
Tirza wordt steeds trotser op zichzelf.
Ze wist niet dat het zo makkelijk zou zijn.
'Mag je rokje iets omhoog aan de achterkant?' vraagt hij.
Hij schuift haar rokje tot op haar billen.
Dat voelt niet prettig, vindt Tirza.
Hij moet niet aan haar zitten.
Ze draait zich van hem weg.
'Niet zo preuts,' zegt de man.
'Je bent wel erg verlegen.
Een model moet eraan wennen dat ze wordt aangeraakt.
In het begin is het misschien eng.
Het zal snel wennen.'

Tirza doet weer wat er gevraagd wordt.
De man maakt foto's van haar rug.
Tirza staat wijdbeens, met haar rokje hoog.
Hij kan haar slipje zien, denkt ze.
Gelukkig heeft ze een sexy slipje aangedaan.
Dan laat hij haar de foto's zien die hij gemaakt heeft.

Ze zien er leuk uit.
Tirza wordt er blij van.
Jochem zal ze vast mooi vinden.
'Mooi,' zegt ze tevreden.
'Wilt u er ook een paar naar mijn computer mailen?'
'Hoho,' zegt de vader van Jochem.
'We zijn nog niet klaar, meisje.'

HOOFDSTUK 7

Marlies Dekkers

'Ik wil ook nog wat foto's maken in lingerie,'
zegt de vader van Jochem.
'Met een mooie slip en bh.'
'Moet dat?' vraagt Tirza.
'Natuurlijk moet dat.
Hoe kunnen klanten anders zien dat je zo mooi bent.
Je hebt prachtige borsten.
Weet je dat?
En hele mooie billen.
Dat verkoopt goed, weet je.'
Tirza wordt er akelig van,
dat hij zo over haar praat.
Meestal verstopt ze haar borsten.
Ze is er nog niet aan gewend dat ze zo gegroeid zijn.
'Ik wil dat niet,' zegt Tirza.
'Ze kunnen op die andere foto's ook wel zien hoe ik ben.'

'Kijk eens wat Jochem voor je gekocht heeft,' zegt de man.
Hij laat een prachtig setje zien.
Glimmend zwarte lingerie met smalle bandjes.
'Oh, wat mooi,' zegt Tirza.
'Dat is volgens mij van Marlies Dekkers.'
'Goed gezien, meisje.
Je kent het merk dus.
Dan weet je ook hoe duur het is.
Jochem heeft gezegd dat je het mag houden,
als je het aantrekt voor de foto's.'

Dat zou ze zelf nooit kunnen betalen.
Geen van haar vriendinnen heeft zulke dure slipjes.
Tirza twijfelt.
Ze weet heel goed dat ze dit niet wil.
Maar er is iets vreemds aan de hand.
Ze weet wat ze wil, maar ze voelt zich anders.
Alsof een stemmetje zegt:
wat kan het je ook schelen.
Ze heeft het gevoel dat er iemand anders in haar hoofd zit.
Iemand die er heel anders over denkt.
Die iemand zegt: doe niet zo preuts.
Heb eens wat meer plezier in je leven.
Dit is toch schitterend meid.
Zo'n kans krijg je niet meer.

Ineens wordt ze helemaal blij.
Straks heeft ze prachtige foto's.
En geweldige lingerie.
Ze begint te giechelen en kan niet meer ophouden.
Wat is dit nu weer voor raars.
'Ik zie dat je er plezier in hebt,' zegt de man.
'Zullen we dan maar?
Kleed je maar even om,
achter dat scherm.'
Tirza doet wat haar gevraagd wordt.
Ze voelt zich steeds waziger worden.
Er lijken watten in haar hoofd te zitten.
Ze hoort de camera van de man klikken.
Wat zou hij nu aan het fotograferen zijn?
Toch niet haar, terwijl ze zich omkleedt?
Bibberend komt ze achter het scherm vandaan.

'Ja, dat is even wennen,' zegt de man.
'Het is niet altijd warm als je moet poseren.

Kom maar hier, dan warm ik je op.'
Hij slaat zijn armen om Tirza heen.
Dat wil ze niet.
Ze wil weg.
Maar ze is te zwak om zich te verzetten.
Hij is sterk en houdt haar stevig vast.

Dan gaat hij foto's maken.
Hij vraagt Tirza allerlei sexy houdingen aan te nemen.
'Doe je ene hand tussen je benen,' zegt hij.
De wijsvinger van je andere hand tussen je lippen.
Ja, zo! En nu heel zwoel kijken.'
Wat is dit voor vreemds, denkt Tirza.
Waarom moet ik daarom giechelen.
Ik wil dit toch helemaal niet?
Toch doet ze alles wat hij vraagt.

'Zo, nu nog een paar foto's samen.
Dan zie je er volwassen uit.
Ik kan je beroemd maken, meisje.
Nog drie foto's van ons samen.
Dat maakt een goede indruk.
Dan lijk je bijna volwassen.
Je lijkt wel achttien.
Mag ik je even tegen me aan houden?
Voor de foto?
Alleen maar voor de foto.
Mag ik even je buik vasthouden?
Terwijl je tegen me leunt?
Je borsten strelen?
Alleen maar strelen.
Als je het niet wilt, is het ook goed.
Maar dan mis je wel een paar mooie foto's.
Nog eentje van ons samen?

Ja? Mag dat?'
De man fluistert het allemaal in haar oor.

Samen met hem op de foto?
Dat wil ze niet.
Waarom zegt ze dan niks?
Ze knippert met haar ogen.
Alles gaat traag in haar hoofd.
Hij stelt de camera in.
Dan gaat hij achter haar staan.
Hij slaat een arm om haar heen.
Ze voelt zijn vingers op haar blote buik.
Bah, wat een akelige vingers.
Tirza probeert zich los te worstelen.
Hij houdt haar stevig vast.
Ze voelt zich zo slap op haar benen.
Komt dat van de spanning?
Of van het weinige slapen?
Het lukt haar niet om hem weg te duwen.

'Mag ik even je borsten vasthouden?' vraagt hij.
'Nee!' zegt Tirza.
Het gaat niet zoals ze het zich had voorgesteld.
'Toe nou meisje, niet zo preuts.'
Tirza begint te huilen.
'Ik wil het niet,' snikt ze.
Dit gaat helemaal fout.
Ze weet niet hoe ze dit moet stoppen.
De man pakt haar stevig van achteren vast.
Zijn ene hand op haar buik.
De andere hand op haar borst.
Tirza probeert achteruit te schoppen.
'Niet zo boos meisje.
Je wilt toch mooie foto's.

Dit is een eerste oefening.
Als je straks model bent, wil iedereen aan je zitten.
Je bent dan geen baas meer over je eigen lijf.
Dat snap je toch wel?
Je hebt goddelijke borsten.'
Hij streelt over haar borsten.
Dan glijdt zijn hand naar beneden.
Over haar blote buik.
Ze voelt zijn vingers op haar slipje.
Hij duwt haar slipje naar beneden.
Tirza wil gillen, maar er komt geen geluid.
Langzaam zakt ze door haar knieën.
De man vangt haar op en legt haar op het rode bont.
Tirza ziet een waas voor haar ogen.

Ze blijft even liggen.
Waarom is ze zo slap?
Wat is er nu met haar?
Ze kijkt naar de man.
Die zit te lachen.
Wie is die man?
De blik in zijn ogen bevalt haar niet.
Hij is wat van plan.
Ze moet hier weg.
Ze voelt de angst door haar lichaam kruipen.
Langzaam komen haar gedachten terug.
Oh ja, de man, zijn handen.
Ze voelt zich moe.
Zo vreselijk moe.
Wat kan er aan de hand zijn?
Hij heeft aan haar gezeten, nu weet ze het weer.
Hij is niet te vertrouwen!
Nu pas dringt het tot haar door.
Het lijkt wel of haar kracht terugkomt.

Tirza springt overeind.
Au, haar hoofd bonkt.
Ze heeft vreselijke hoofdpijn.
Dan wordt ze razend.
'Wat bent u van plan?' gilt ze.
'Rustig, rustig, meisje.
Ik maak alleen wat foto's,' zegt de man.
'U mag me helemaal niet aanraken
als ik het niet wil!'
Tirza wordt steeds kwader.
'Ik heb toch wel een beloning verdiend?
Ik heb zulke mooie foto's van je gemaakt,' lacht de man.
Hij loopt naar haar toe.
Hij slaat zijn arm om haar schouders.
Dat maakt Tirza helemaal razend.
'Laat me los!!
Wat bent u voor een man??
Een vieze oude vent.
Die plaatjes maakt van jonge meiden!!'
'Nou, nou, niet zo kwaad,' sust de man.
'Ik betaal er toch keurig voor.
Kijk eens wat een mooie kleren je hebt gekregen.'
Nu valt Tirza's mond open van verbazing.
Hij denkt haar af te kopen met een setje lingerie!
Ze moet hier weg!

Ze rent naar het kamerscherm en raapt haar kleren op.
Snel doet ze haar truitje en rokje aan.
Haar eigen slipje propt ze in de zak van haar jas.
Ze doet de laarsjes aan.
Ze wiebelt nog erg op de hakken.
'Ik ga nu weg!' roept ze kwaad tegen de man.
'Wacht je niet op Jochem?' vraagt hij.
'Weet je wat ik denk?

Ik denk dat er helemaal geen Jochem bestaat!!
Ik denk dat ú met me heeft zitten chatten!
Vieze, vuile vent!!' scheldt Tirza.
'Jij kunt goed raden, meisje,' zegt de man.
Die glimlach op zijn gezicht!
Tirza zou hem willen slaan.
Maar ze durft niet.
Hij is vast veel sterker dan zij.
Ze moet hem vooral niet boos maken.
Wegwezen nu, zo snel mogelijk.

Als ze bij de deur is, houdt hij haar tegen.
Zijn vingers stevig om haar bovenarm.
'Mondje dicht, hè Tirza.
Je vertelt hier niemand over!
Je zou toch niet graag je foto's zien op internet?
Mijn lieve Tirza op de site van Sugababes?
Of een sexy foto met je msn-adres op een pornosite?
Zou je dat leuk vinden?
Nee, denk ik, hè.
Mondje dicht. Goed begrepen?'
Tirza trekt haar arm los en rent weg.
Weg, weg, weg van die engerd!
Ze rent het modderige gangetje door.
'Dag Tirza, dag lieverd van me,'
hoort ze de man roepen.

HOOFDSTUK 8

Smerig

Ze komt niet goed vooruit op haar hakken.
Op blote voeten rennen op de natte stenen kan ook niet.
Het moet dus maar zo.
Ze probeert zo snel mogelijk weg te komen.
Als ze eerst maar andere mensen ziet.
Dan voelt ze zich pas veilig.
Ze kijkt steeds om.
Hij volgt haar niet.
Ze voelt zich nog slap.
Het rennen doet pijn aan haar longen.
Haar benen lijken van elastiek.
Dan slaat ze een zijstraat in.
Hier lopen mensen.
Ze haalt opgelucht adem.
Hier voelt ze zich veilig.
Ze leunt met haar hand tegen een muur.
Ze hijgt, haar hoofd bonkt.
Nu begint het ook nog te regenen.
Een echte stortbui.
Het water loopt langs haar gezicht.
Tirza rent naar de tramhalte.
Er staan gelukkig mensen te wachten.
Ze kijkt nog steeds om,
of de man haar niet volgt.
Gelukkig: de tram, ze is gered.

Je gaat toch geen foto's naar hem sturen?
Pas op, Tirza!
Vertrouw niet iedereen op de chat.
Je gaat toch geen afspraak met hem maken?

Het dreunt in Tirza's hoofd.
Haar moeders woorden dreunen in haar hoofd.
Ze durft niet goed naar huis.
Twee haltes te laat stapt ze uit de tram.
Door de regen loopt ze terug.
Ze loopt haar straat voorbij.
Niet naar huis nu.
Langzaam dringt het water door haar jas.
Haar kleren worden nat.
Onder haar jas zoekt ze de onderkant van haar truitje.
Ze probeert het naar beneden te trekken.
Over het stukje bloot dat zo koud wordt.
Het water loopt in haar slipje.
Het sexy zwarte slipje.
Haar lange haren plakken aan haar gezicht.

Wat moet ze tegen haar moeder zeggen?
Haar dansles zou twee uur geleden afgelopen zijn.
Dan is ze meestal een halfuur later thuis.
Haar moeder mag niet weten dat ze niet naar dansen is geweest.
Ze loopt en loopt maar door.
Ze stapt in elke plas die ze tegenkomt.
Haar voeten voelen smerig.
Haar buik voelt smerig.
Haar borsten voelen smerig.
Daar waar...
Niet aan denken!
Ze loopt naar Limi.

Je kent die jongen amper.
Je gaat daar toch niet alleen heen?

De woorden van Limi dreunen in Tirza's hoofd.
Ze loopt het huis van Limi voorbij.
Ze keert om naar huis.
Haar moeder zal nu aan het koken zijn.
Misschien kan ze snel naar boven glippen.
Ze opent zacht de voordeur en loopt de trap op.
'Waar ben jij zo lang geweest?'
'Hoi mam, ik ben een beetje nat.
Ik ga douchen,' zegt Tirza.
'Dat is geen antwoord,' zegt haar moeder.
'Ik was bij Limi.
De tram reed niet, ik moest lopen.'
Haar stem trilt. Ze bibbert.
'Limi heeft net gebeld of je thuis was.'
Shit! Stomme Limi.
Waarom belt ze dan niet op haar mobiel?
Tirza rent de trap op.
'Bemoei je niet altijd zo met me!' gilt ze naar haar moeder.
Ze pakt een trui en een schoon slipje op haar kamer.
Dan haar wijde joggingbroek.
Ze slaat de deur van de badkamer met een klap dicht.

Het warme water spoelt de kou van haar lijf.
Het spoelt haar haren schoon.
En haar vieze voeten.
Maar niet haar borsten.
En niet haar buik.
Die voelen nog smerig.
Daar waar hij...

Je hebt prachtige borsten.
Weet je dat?
En hele mooie billen.
Dat verkoopt goed, weet je.

Het dreunt in Tirza's hoofd.
De verschrikkelijke woorden dreunen door haar hoofd.
Het water maakt een kabaal op haar haren.
Nee, dat is haar moeder die op de deur bonst.
'Ga weg mam! Ik wil je niet zien!
Ga weg, ga weg, ga weg!' gilt Tirza.

Nog meer water, het helpt niet.
Ze is nog steeds smerig.
Niet aan denken, niet meer aan denken!
Ze wilde het toch zelf?
Ze zei toch geen nee?
Ja later wel, maar toen wilde hij niet meer stoppen.
Toen mocht hij zijn beloning, zei hij.

'Tirza, doe open.
Wat is er met je?' roept haar moeder.
Nog meer water, het helpt niet.
Ze blijft zich smerig voelen.
'Ga weg mama.
Ik wil niet met je praten!' krijst Tirza.
Niet meer aan denken.
Ze wilde toch beroemd worden?
Ze had een leuk koppie, zei hij.
En mooie borsten.

Huilen wil ze. Alleen maar huilen.
Ze slaat met haar vuisten tegen de tegels.
Het water loopt langs haar polsen.

Ze slaat tot haar handen pijn doen.
Ze duikt in elkaar.
In een hoek van de douche.
Op de grond vindt ze steun.
Ze merkt niet dat haar vader aan de deur morrelt.
Hij maakt hem van de buitenkant open.
Ze ziet niet dat haar moeder binnenkomt.
Haar moeder pakt haar vast en zet de kraan uit.
Tirza voelt een grote handdoek om zich heen.

'Ik kon er niks aan doen mam.
Ik had naar je moeten luisteren.
Ik heb foto's op de site gezet.
En een webcam geleend.
Hij was minstens veertig mam.
Hij was geen negentien.
Hoe kon ik dat weten?
Mam, hoe kon ik dat weten?' snikt Tirza.
'Stil maar meisje, stil maar,'
hoort ze haar moeder zeggen.
Het lijkt van ver te komen.
'Wat heeft hij gedaan?'
vraagt haar moeder zachtjes.
'Foto's gemaakt.
En me vastgepakt.
Zijn handen overal.
Ik wilde het niet, mam.'

Tirza voelt zich nog duizelig.
Ze leunt tegen haar moeder.
Dan laat ze zich op de grond vallen.
Haar moeder vangt haar op.
'Laat me los!' krijst Tirza.
Ze raakt helemaal in de war.

‘Bel de huisarts,’ hoort ze haar moeder zeggen.
‘En de politie.
Bel ook de politie.’
‘Nee, nee, niet doen!’ gilt Tirza.
‘Jawel,’ roept haar moeder tegen haar vader.
Ze kruipt weg in de armen van haar moeder.
Die streelt over haar natte haren.
Ze wiegt Tirza langzaam.
Tirza voelt haar moeders zachte trui.
Ze ruikt haar geur.
De paniek verdwijnt langzaam.
Ze veegt de tranen uit haar ogen.
Tirza hoort haar vader beneden bellen.

HOOFDSTUK 9

Gevlogen

Al snel komt de huisarts.
Tirza is nog steeds in de war.
Ze vertelt snikkend wat er gebeurd is.
De huisarts luistert geduldig.
Hij zegt niet dat het dom was van haar.
Dat valt Tirza mee.
Ze weet maar de helft van het verhaal.
De rest is wazig in haar hoofd.
Soms zegt ze halve zinnen.
Ze weet niet hoe het dan verder moet.
En ze voelt zich zó vreselijk moe.

'Het lijkt me beter om eerst een kalmeringspil te nemen,'
zegt de huisarts.
'Dan kun je rustig worden.
En straks ook goed slapen.
Morgen kun je dan de rest van het verhaal vertellen.
Je bent nu erg in paniek.
Wat vind je daarvan?'
Tirza knikt.
Ze pakt een glas water en slikt de pil die de huisarts
haar geeft.
Even later voelt ze zich rustig worden.
Ze gaat op de bank liggen.
Ze hoort de stemmen van haar moeder en de huisarts.
Ver weg.
Ze wil slapen, alleen nog maar slapen.

Langzaam zakt ze weg in een diepe slaap.
Even later komt de politie.
Tirza hoort vaag mannen praten met haar ouders.
Haar moeder maakt haar wakker.
'Tirza, Tirza, word eens wakker!'
Ze komt langzaam overeind.
De agenten willen het hele verhaal horen.
Ze vertelt wat ze nog weet.
Maar ze is veel vergeten.
Wel weet ze zijn naam nog: Jochem.
'Mogen we misschien in je computer kijken?'
vraagt een van de agenten.
Tirza en haar vader lopen mee naar boven.
De agent kijkt of de msn-berichten nog te vinden zijn.
Maar Tirza heeft ze verwijderd.
Ze zijn niet meer terug te vinden.
De agent opent de site van Superdudes.
Hij zoekt naar Jochem.
Die is niet meer te vinden.
'Dat vreesde ik al,' zegt de agent.
'Die is al weg.
Morgen is hij er waarschijnlijk onder een nieuwe naam.
Zo slim is hij wel.'
'Maar u kunt hem toch wel vinden?'
vraagt de vader van Tirza.
'We doen ons best meneer.
Maar we beloven niks,' zegt de agent.
'Dus hij kan morgen weer met een ander meisje mailen?'
vraagt Tirza.
'Ja, helaas, dat kan.
We vragen je om morgen aangifte te doen.
Dan vertel je alles nog een keer.
En schrijven wij alles op.
Dan kunnen we achter hem aan.

We gaan in ieder geval nu naar het adres waar hij
de foto's maakt.
Al zal hij ook daar wel weg zijn,' zegt de andere agent.
Tirza geeft de agenten het adres.

Een tijdje later belt een van de agenten.
'Helaas, we hebben hem bij de loods niet gevonden.
We houden het in de gaten,' zegt de agent.
'Die is natuurlijk allang weg,' zegt Tirza's vader.
'Ik hoop echt dat ze hem vinden.
Voordat hij andere meisjes lastig gaat vallen.'
Tirza valt snel in slaap.
Ze slaapt heel lang en heel diep.
Tot laat in de zondag.

Als Tirza eindelijk wakker is, weet ze alles weer.
Ze herinnert zich de man.
En zijn enge handen.
Ze voelt weer hoe hij haar aanraakte.
Ze ziet zijn gemene ogen.
En hoort hem dreigen:
Een sexy foto met je msn-adres op een pornosite.
Ik kan geen aangifte doen, denkt Tirza.
Hij zal vast wraak nemen.

'Zo, dan gaan we nu naar het politiebureau.
We gaan aangifte doen,' zegt haar moeder.
'Nee mam, dat kan niet!' roept Tirza.
'Ik doe dat echt niet.
Hij pakt me terug, ik weet het zeker.
Ik wil het niet mam!
Ik wil er nooit meer aan denken.
Ik wil er niet meer over praten.
Het is ook allemaal niet gebeurd.

Ik heb het verzonnen.
Het was niet echt zo erg.'
Tirza begint te snikken.
Het loopt helemaal fout.
Hij zal haar vast weten te vinden.
Haar vrienden zullen haar foto's ontdekken op internet.
Ze zullen vreselijk moeten lachen.
Wat is ze naïef geweest.
Waarom ging ze daar nou heen?
Is het dan zo belangrijk om model te worden?

Haar moeder slaat haar armen om Tirza heen.
'Waar ben je bang voor, meisje?' vraagt ze.
Tirza vertelt waar de man mee dreigde.
Ze wil niet dat hij de foto's gaat gebruiken.
'Nu moet je even goed naar me luisteren,'
zegt haar moeder.
'Jij wilt niet dat hij de foto's misbruikt.
Dan zullen we moeten zorgen dat we die foto's terugkrijgen.
De politie kan dat regelen.
Jij in je eentje niet.
Die man weet niet dat je aangifte doet.
Hij merkt dat pas als de politie hem pakt.
Tot die tijd zal hij niks doen.
En daarna ook niet.
We vragen de politie om de foto's weg te doen.
Maar pas nadat hij bij de rechter is geweest.'
'Ik durf niet, mam,' zegt Tirza.
'We kunnen ook vragen
of er een vrouwelijke agent hierheen komt.
Dat kan ook, dan voel je je veiliger.
Zullen we dat doen?'
Tirza twijfelt.
Ze wil er niet meer aan denken.

Ze wil dat het vanzelf overgaat.
Dat ze morgen wakker wordt en dan merkt dat het een droom was.
Ze wil het verhaal niet nog een keer vertellen.

'Denk eens aan de volgende meisjes die hij gaat fotograferen.
Hij zal het heus nog vaker doen,' zegt haar moeder.
'Je wilt toch ook dat hij stopt?'
Tirza knikt.
Natuurlijk wil ze dat hij stopt.
Maar het is moeilijk om erover te praten met een vreemde.
Ze begint weer te huilen.
Het lijkt wel of het niet ophoudt.
Steeds weer die tranen.
'Oké,' zegt haar moeder.
'Dan bel ik dat je nog een dag rust wilt.
Ik vraag of ze morgen komen.'
'Oké,' zucht Tirza.
Ze gaat opnieuw naar bed.
Ze trekt het dekbed helemaal over haar oren.
Ze wil alleen maar slapen.
Uren en uren slapen.
En nooit meer denken aan die enge man.

's Avonds komt Limi.
Tirza ligt nog steeds in bed.
'Ben je ziek?' vraagt Limi.
Ze springt op het bed van Tirza.
'Ja... uhm... nee... ja,' aarzelt Tirza.
'Wat is er met jou?' vraagt Limi verbaasd.
'Weet je niet eens of je ziek bent?'
'Ja, ik ben een beetje grieperig,' klaagt Tirza.
Limi gaat op het voeteneind zitten.

'Nou vertel, ik heb het hele weekend op je zitten wachten.
Hoe was het bij Jochem?
Heb je mooie foto's?
Laat eens zien.
Waarom ben je niet bij me langs geweest?
Je hebt toch niet het hele weekend bij Jochem gezeten?'
Tirza krimpt in elkaar als ze de naam hoort.

Ze kruipt diep onder het dekbed.
'Wat is er met je?
Waarom doe je zo raar?'
Limi snapt er niets van.
'Laat me maar alleen,' zegt Tirza.
'Het was níet leuk en ik wil er níet over praten.'
'Doe niet zo raar, ik ben toch je vriendin,' zegt Limi.
'Ik wil slapen,' zegt Tirza.
Ze draait zich om.
Limi zit een tijdje naar Tirza te kijken.
'Nou zeg, ben je nog van plan om gezellig te gaan doen?'
'Nee, ga maar weg.'
'Oké, dan moet je het zelf maar weten,' zegt Limi.
Ze loopt de kamer uit.
Nu voelt Tirza zich nog meer alleen.
Waarom is Limi niet gebleven?
Ze kon toch wel zien dat Tirza het moeilijk heeft.
Wat is Limi nu voor een vriendin?

Tirza's moeder komt binnen met twee glazen cola.
'Is Limi al weg?' vraagt ze verbaasd.
'Ja, ze moest naar een vriend,' verzint Tirza.
'Heb je haar niet verteld wat er gebeurd is?'
vraagt haar moeder.
'Nee, natuurlijk niet,' schrikt Tirza.
'Ik kan dat toch niet aan iedereen vertellen.

Jij mag het ook tegen niemand zeggen!
Hoor je dat mam?
Tegen niemand! Beloof je dat?'
Haar moeder zucht.
'Nee, Tirza, dat beloof ik niet.
Zo kun je het niet oplossen.
Limi is je beste vriendin.
Je moet haar vertrouwen.
Je zult je beter voelen als je erover praat.
Geloof me maar.'
Tirza draait zich kwaad om.
Ook haar moeder laat haar dus in de steek.

HOOFDSTUK 10

Aangifte

De volgende ochtend komt er een agente langs.
Tirza wordt door haar moeder uit bed gesleept.
Heel erg langzaam kleedt ze zich aan.
Ze doet haar lelijke wijde trui aan.
Vandaag heeft ze geen zin om er leuk uit te zien.
Stom, vindt ze zichzelf, vreselijk stom.
Ze vindt dat ze de man nooit had moeten vertrouwen.
Waarom is ze zo dom geweest?
Kwam dat allemaal omdat ze graag model wilde worden?
Tirza denkt diep na over zichzelf.

Nee, het was ook wel omdat ze een vriend wilde.
Veel meisjes op school hebben een vriend.
Ze wilde er graag bijhoren.
Dat ook.
En ze wilde graag eerder een vriend dan Limi.
Limi is meestal beter en sneller dan zijzelf.
En ook nog eens veel knapper.
Wat ontzettend stom, vindt ze nu.

Ze loopt traag de trap af.
Beneden geeft ze de agente een hand.
Dan gaat ze op de bank zitten.
Met haar knieën opgetrokken.
Veilig achter haar benen, kijkt ze naar de vrouw.
Die ziet er wel oké uit.
'Zullen we maar beginnen?' vraagt de vrouw.

Tirza knikt.
'Noem me maar Anja.
Dat praat wat makkelijker,' zegt de agente.
Tirza knikt weer.
Het lijkt wel of de woorden ver weg verstopt zitten
in haar keel.
'Vertel nog maar een keer het hele verhaal,' zegt Anja.
'Dan ga ik je daarna vragen stellen.'
Haar moeder slaat een arm om Tirza heen.
Tirza vertelt nogmaals.
Het gaat al wat makkelijker, merkt ze.
Nu hoeft ze er niet meer bij te huilen.

'Je ging vrijwillig naar die loods?' vraagt Anja even later.
'Dat klopt toch?'
'Ja,' zegt Tirza.
'Maar ik dacht dat zijn moeder de foto's zou maken.'
'Heb je hem verteld hoe oud je bent?' vraagt Anja dan.
'Ik heb gezegd dat ik zestien ben.'
'Je lijkt ook wel ouder,' zegt Anja.
'Maar je bent pas veertien?'
'Bijna vijftien,' zegt Tirza.
'En je hebt niet gezegd dat hij geen foto's mocht maken?'
'Eerst niet,' zegt Tirza.
'Ik wilde niet dat hij blote foto's maakte.
Maar ik vond het ook spannend.
En ik moest er erg om giechelen.
Ik wilde het niet, maar ik moest er toch om lachen.
Pas toen hij aan mijn borsten kwam,
en mijn slipje naar beneden trok, raakte ik in paniek.
Ik weet niet wat er aan de hand was.
Ik voelde me heel raar.'

Anja schrijft alles op en denkt diep na.
'Heeft hij je wat te drinken gegeven?' vraagt ze.
'Ja, cola heb ik gedronken.'
'Was die lekker?' vraagt Anja.
Tirza kijkt haar verbaasd aan.
Wat een rare vraag.
Hoe kan Anja nou weten dat de cola niet lekker was.
'Het smaakte vies.
Ik weet niet waarom,' zegt Tirza.
'Ik denk dat ik het wel weet,' zegt Anja.
'Ik vermoed dat hij wat in je cola heeft gedaan.
Een pil, waardoor jij je anders gaat voelen.
Dan doe je dingen die je niet wilt.
Je wordt er wat losser van, zeggen wij dan.
Het is nu te laat om te zien.
We hadden meteen bloed van je moeten nemen.
Dan konden we zien of je een pil had gehad.
Dat is jammer.
Nu zullen we het nooit zeker weten.'

Ze schrijft weer even.
'Wat deed hij toen je zei dat je het niet meer wilde?'
vraagt Anja dan.
'Hij zei dat hij zijn beloning mocht.
Dat hij er toch voor betaald had.
Doordat ik het slipje mocht houden.
En de bh natuurlijk.'
Tirza rilt weer als ze eraan denkt.
Weer voelt ze zijn enge vingers op haar borsten.
En dan die handen,
die haar slipje wegduwden.
Ze voelt zijn adem in haar nek.
Tranen springen weer in haar ogen.
'Huil maar gerust,' zegt Anja.

'Dat lucht op.'
Haar moeder streelt Tirza door de haren.
'Het gaat goed, meisje,' zegt ze.

'Heb je de kleren meegenomen?' vraagt Anja.
'Ja natuurlijk.
Die had ik aan toen ik vluchtte,' zegt Tirza.
'Waarom is dat belangrijk?'
'Hij zal het gebruiken om een lagere straf te krijgen,'
zegt Anja.
'Hij zal zeggen dat hij je daarmee betaald heeft.
En dat jij dat goedvond.
Je hebt het tenslotte meegenomen.
Zo sluw zal hij wel zijn.'
'O, wat stom,' zegt Tirza.
'Helemaal niet stom,' zegt haar moeder.
'Je wilde daar zo snel mogelijk weg.
Dat was heel verstandig.
Hij had je nog veel meer aan kunnen doen.'
Ze kijkt bezorgd naar Tirza.
'Dat is waar,' vindt Anja ook.
'Je hebt geluk dat hij je heeft laten gaan.
Het gebeurt vaker dat dit soort mannen niet meer stopt.
Dan dwingen ze het meisje tot seks.
Terwijl het meisje dat vreselijk vindt.
Je bent dus op tijd gevlucht.
Je hebt het heel knap opgelost.
Daar mag je trots op zijn.'
Tirza kijkt verbaasd naar Anja.
Hoezo trots?
Ze is toch heel erg stom geweest?
'Vind je me niet dom dan?' vraagt ze.

Anja denkt even na.
'Nee,' zegt ze dan, 'ik vind je niet dom.
Wel heb je Jochem veel te makkelijk vertrouwd.
Maar dat komt doordat je nog jong bent.
Je hebt nog nooit gemene mensen ontmoet.
En je wilde heel graag model worden.
Daar had je veel voor over.
Dat is niet dom.
Maar je hebt nu geleerd dat het op deze manier niet lukt.
Ik hoop dat je ook je vriendinnen waarschuwt.
En de meisjes in je klas.'
Tirza kruipt weg achter haar knieën.
Ze slaat haar armen stevig om haar benen.
Die Anja is niet goed wijs.
Ze gaat toch zeker niet alles aan haar vriendinnen vertellen?
En zeker niet aan de meisjes in haar klas.
Ze zullen haar uitlachen.
Wat denkt Anja wel.
Die meiden kunnen erg pesten.
'Ik ga het heus aan niemand vertellen,' zegt Tirza.
Anja bijt peinzend op haar pen.
Tirza kijkt haar boos aan.
Wat zal Anja nu weer verzinnen?

'Laten we het anders doen,' zegt Anja dan.
'Het is de bedoeling dat er niet meer meisjes slachtoffer worden.'
'Nee, daarom moet u hem oppakken,' zegt Tirza.
'Dat proberen we ook.
Maar dan is het probleem niet weg.
Hij zal snel weer vrij zijn.
En dan kan hij opnieuw zijn gang gaan.
En helaas zijn er nog veel meer "Jochems" in de stad.
Het stopt alleen als meiden dat doorhebben.'

‘Wat wil je dan?’ vraagt Tirza’s moeder.
‘Laten we dit samen op school gaan vertellen,’
stelt Anja voor.
‘Ik leg dan uit hoe mannen zoals Jochem werken.
En jij vertelt wat jou is overkomen.
Dan zal iedereen het snappen.
Lijkt jou dat wat?’
‘Misschien,’ zegt Tirza.
‘Ik wil er nog over denken.’
‘Dat is prima,’ vindt Anja.
‘Ik bel je over een paar dagen.
Nu ga ik naar bureau.
Ik vraag mijn collega’s bij de loods langs te gaan.’

Niet afwachten!

's Middags gaat Tirza weer naar school.
Eigenlijk wil ze niet.
Maar ze moet van haar moeder.
Wat zal Limi zeggen als ze haar ziet?
Hoe kan ze het uitleggen?
'Gewoon alles eerlijk vertellen,' zegt haar moeder.
Maar Limi heeft haar zo gewaarschuwd.
Ze had naar haar moeten luisteren.
Toch gaat ze maar.
Ze zorgt dat ze net op tijd komt voor de eerste les.
Iedereen is al naar binnen.
Tirza gaat niet naast Limi zitten.

'Wat was er nou met je?'
vraagt Limi als het pauze is.
'Gewoon niks, een beetje griep,' zegt Tirza.
'Verder niks.'
Limi kijkt haar vragend aan.
Ze heeft dwingende ogen, vindt Tirza.
Het lijkt of ze het altijd ziet als Tirza liegt.
Gauw kijkt Tirza een andere kant uit.
Ze ziet Arinze staan.
Ze loopt naar hem toe.
'Hier is je webcam weer.
Ik hoef hem niet meer.
Bedankt voor het lenen.'
'Oké, graag gedaan.

Ga je niet meer chatten met je vriend?' vraagt Arinze.
Limi komt ook dichterbij.
Ze kijkt Tirza weer vragend aan.
Tirza zwijgt.
Limi zwijgt.
Arinze zwijgt.
Tirza kijkt om zich heen alsof ze vluchten wil.
'Vertel!' zegt Limi.
Tirza wiebelt op haar voeten.
Ze plukt aan de zoom van haar jas.
En kijkt naar de schoenen van Arinze.
'Ja, vertel!' herhaalt Arinze.
Dan kan Tirza het niet langer voor zich houden.
Met horten en stoten vertelt ze het hele verhaal.
Over de vader van Jochem.
Over de foto's.
En over zijn handen.
Limi en Arinze kijken haar met afgrijzen aan.
Limi trekt een gezicht alsof ze iets smerigs eet.

'Getver, wat een smeerlap,' gruwt Limi.
'We mogen iedereen wel waarschuwen voor hem.'
'Je moet hem te pakken zien te krijgen, Tirza,'
vindt Arinze.
'Laat hem niet jouw foto's misbruiken!
Wie weet wat voor een smerige dingen hij
in gedachten heeft.
Je moet terugvechten.
Dat zal je ook helpen om het te vergeten.
Niet gaan zitten afwachten!
Hij moet worden opgepakt.
Help je mee, Limi?'
'Natuurlijk,' zegt Limi.

‘Vinden jullie mij niet vreselijk stom?’ vraagt Tirza verbaasd.
‘Jawel,’ zegt Limi. ‘Heel erg stom.
Maar we gaan je wel helpen.’
Tirza kijkt haar blij aan.
Ze wist het wel.
Ze kan altijd op Limi rekenen.
En het is lief dat Arinze ook wil helpen.
Maar hoe moet ze dit doen?
Ze wil die man echt nooit meer zien.
‘Ik zou niet weten wat ik moet doen,’ zegt Tirza.
‘Misschien dat ik het toch maar aan de politie overlaat.’
‘Laten we vanavond een plan maken,’ stelt Arinze voor.

Als Tirza naar huis fietst, is ze al veel vrolijker.
Het luchtte inderdaad op om erover te praten.
En Limi en Arinze hebben haar niet uitgelachen.
Eigenlijk schaamt ze zich een beetje.
Arinze heeft dingen meegemaakt die veel erger zijn.
En toch neemt hij dit heel serieus.
Hij gaat haar zelfs helpen.

Arinze heeft haar een keer verteld over zijn moeder.
En over zijn zus.
Zij zijn misbruikt door soldaten in hun land.
Hij weet dus hoe dat voelt.
Nu woont zijn hele familie hier.
Ze zijn allemaal gevlucht.
Hier zijn ze veilig.
Arinze heeft veel meegemaakt.
Daardoor is hij heel wijs.
Maar hij lijkt ook droevig.
Droevig wijs.
Tirza vindt dat mooi.
Ja, hij is stil en aardig, bedenkt ze.

Wat zeur ik toch, denkt Tirza.
Het moet afgelopen zijn.
Zie hoe Arinze met zijn problemen omgaat.
Dat lukt mij ook.
Ik zorg dat die man wordt opgepakt.
En dat hij voor de rechter moet komen.
Dan denkt ze aan wat Anja, de agente, zei.
Als dit de eerste keer was,
krijgt Jochem waarschijnlijk weinig straf.
Tirza denkt dat hij het vaker deed.
Hij was zo sluw.
Hij wist precies hoe hij het ging aanpakken.
Daarmee lokte hij haar in een val.
Ze moet weten of hij dat bij meer meisjes heeft gedaan.
Dan zal hij een stevige straf krijgen.
Maar hoe komt ze daar achter?
Zouden Arinze en Limi ideeën hebben?
Haar ouders wil ze het niet vragen.
Die vinden vast dat ze het moet overlaten aan de politie.
Maar Tirza wil zelf wat doen.
Daar gaat ze zich beter door voelen.
Denk na, Tirza! zegt ze tegen zichzelf.
Denk na en het lukt je.
Vanavond komen haar vrienden voor een plan!

HOOFDSTUK 12

Het plan

'Eerst moeten we weten of hij vaker foto's maakte.
Of er meer meisjes zijn waar hij mee afsprak,' zegt Tirza.
Limi en Arinze zitten op haar bed.
Tirza draait rondjes met haar bureaustoel.
'Oké, hoe gaan we dat doen?' vraagt Limi.
'Een oproep zetten op de site,' denkt Arinze.
'Natuurlijk niet.
Dan weet hij dat ik ergens mee bezig ben,' schrikt Tirza.
'Hij zal de foto's verspreiden als hij dat weet.
Daar heeft hij mee gedreigd.'
'Dat is een risico,' vindt Arinze ook.
'Maar als je daarmee voorkomt dat hij andere meisjes iets aandoet?
Wil je dan dat risico niet nemen?'
Tirza twijfelt.
Ze is bang dat mensen haar zullen herkennen.
Dat lijkt haar vreselijk.
Ze denkt dat de jongens op school haar zullen pesten met de foto's.
'Daar weet ik wel wat op,' zegt Arinze.
'We plaatsen een artikel in de schoolkrant.
Daarin vertellen we wat er met jou is gebeurd.
En we vragen Anja om ook een artikel te schrijven.
Zij kan uitleggen hoe deze mannen werken.
Dan vragen we of andere meisjes ook zoiets is overkomen.
We vragen dan om dat tegen ons te zeggen.'
'Alsof dat helpt tegen het pesten,' zegt Tirza.

'Nee, luister,' vervolgt Arinze.
'We vragen iedereen om op te letten.
Of ze een foto van je zien op internet.
Die laten we dan meteen weghalen door de politie.
Dat is dan weer een spoor naar Jochem.'
'Goed idee, Arinze,' zegt Limi.
'Het klopt wat Arinze zegt.
Als je mensen vraagt om te helpen, gaan ze niet pesten.
Laten we dat doen, Tirza.'

Tirza denkt na.
Zou dat echt zo zijn?
Ze hoopt dat Limi en Arinze gelijk hebben.
'Oké,' zegt Tirza, 'dat is dan stap één.'
'En dan nog een oproep op de site.
Ik denk dat we die op Superdudes moeten zetten.
Dat is de jongenssite.
Daar kijkt Jochem vast niet op.
Hij zoekt alleen maar meisjes.
We zetten een vraag op het forum.
Dat lezen veel meiden.'
'Maar dat moet je niet doen met jouw naam,' vindt Limi.
'We moeten het zó doen
dat niemand weet wie de oproep plaatste.
Jochem heeft vast van meer meisjes foto's gemaakt.
We zetten er geen naam bij.
Dan weet hij niet welk meisje de oproep doet.
Dus hoef je ook niet bang voor hem te zijn.'
'Slim Limi, maar hoe vinden ze ons dan?' vraagt Arinze.
'We spreken een tijd af en een plaats hier in de stad.
We vragen iedereen daarheen te komen.
Dat gebeurt vaak op de site,' zegt Limi.
'Doen we,' vindt Tirza.
'Ik open gewoon een profiel,' biedt Arinze aan.

'Met een supermooie foto van mezelf.
Daar gaan alle meiden op klikken,' lacht hij.
'En dan doe ik de oproep.
Dan komt Jochem er nooit achter.'
'Geweldig,' vindt Tirza.
'Ik haal meteen de camera van mijn moeder.
Mijn ouders zijn niet thuis.
Limi, ga jij Arinze even mooi maken.
Pak maar wat make-up van mijn moeder.
Lipstick en rouge.
En doe je dan wel je shirt uit?' vraagt Tirza.
Arinze kijkt haar sprakeloos aan.
Dat was niet zijn bedoeling.

Tirza ziet zijn serieuze gezicht.
Ze knipoogt naar Limi.
Limi kan haar lachen niet meer inhouden.
Ze rent de gang op.
'Even make-up halen,' hikt ze.
Arinze kijkt haar boos na.
Tirza slaat een arm om hem heen.
'Het was een grapje,' lacht ze.
'Jij trapt ook overal in.'
'O, wat ben je een gemene heks,' klaagt Arinze.
Hij spreekt het woord heks heel raar uit.
Het klinkt als haks.
Daardoor schiet Tirza in de lach.
Arinze pakt haar bij haar middel.
Hij begint haar te kietelen.
Overal waar hij haar te pakken kan krijgen.
Tirza valt op haar bed.
'Stop, stop!' gilt ze.
Maar Arinze stopt niet.
Tirza tuimelt gierend van de lach op de grond.

Arinze zet zijn knie op haar benen.
Zo kan ze niet schoppen naar hem.

Ineens voelt Tirza dat ze niet weg kan.
Hij heeft haar vast.
Ze worstelt en kronkelt.
Arinze houdt haar plagend tegen.
Tirza wil weg!
Weg, weg, ze moet weg!!
Ze raakt in paniek.
Tranen stromen over haar wangen.
Maar nu niet meer van het lachen.
'Stop, stop!' krijst ze.
Limi ziet dat Tirza het meent.
'Kappen, Arinze!' roept ze.
Dan merkt Arinze pas wat er gebeurt.
Snel laat hij Tirza los.
Tirza rent haar kamer uit.
Ze rent de slaapkamer van haar ouders in.
Weg wil ze.
Weg bij Arinze die haar beetpakte.
Ze huilt dikke tranen.
Weer voelt ze de enge handen van Jochem.
Overal.
Op haar buik, op haar borsten.
Enge klemmende handen om haar middel.

De deur van de kamer gaat langzaam open.
Arinze staat in de deuropening.
Limi staat achter hem.
'Sorry, Tirza,' zegt Arinze heel zacht.
'Het was dom van me.
Ik had kunnen weten dat je daar niet tegen kunt.
Ik zal het nooit, nooit meer doen.

Beloofd!'
Limi loopt naar haar vriendin.
Ze slaat haar armen om Tirza heen.
Zachtjes wiegt ze Tirza tot ze rustig wordt.
'Het is oké,' zegt Tirza dan tegen Arinze.
'Ik had je ook niet moeten pesten.'
Ze loopt naar Arinze toe.
Die slaat heel voorzichtig zijn armen om haar heen.
Hij streelt over haar haren.
Hij is erg lief, denkt Tirza.
Ze blijft even lekker tegen hem aan staan.

'Nou, stelletje klefkikkers, wordt er nog gewerkt?
Moeten wij niet ene Jochem gaan vangen?' vraagt Limi.
'Oh ja, kom,' vindt Tirza ook.
Ze laat Arinze los.
Ze haalt de camera van haar moeder.
Limi heeft de computer al gestart.
Ze opent de pagina en klikt op:

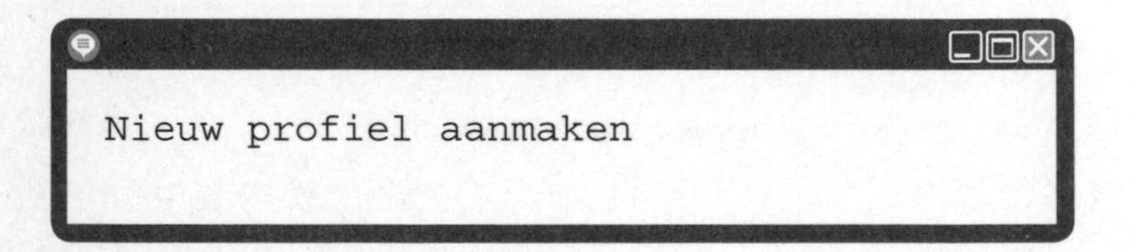

Tirza geeft Arinze tips voor de foto.
Hij lacht heel leuk.
Snel klikt Tirza een aantal plaatjes.
Ze kijkt tevreden naar het schermpje.
Dan laat ze Arinze de foto's zien.
'Doe de derde maar,' vindt Arinze.
'Daar kijk ik wel sexy.'
'Ho, ho,' roept Limi.

'We moeten geen rij verliefde meisjes.
We zijn boeven aan het vangen, weet je nog?'

Ze vult alvast wat gegevens in.
'We noemen je Dropje op de site.'
'Je doet maar,' vindt Arinze.
'Straks ga ik toch nooit meer op de site.
Ik vind dat helemaal niks.'
Limi vraagt zijn geboortedatum en e-mailadres.
Ze vult het in.
'Zo, alles staat erop.
Nu moeten we een goede oproep bedenken,' zegt ze.

Tirza, Limi en Arinze denken na over een tekst.
'Het moet zo, dat Jochem niet weet dat jij erachter zit,'
zegt Limi.
Arinze begint te typen:

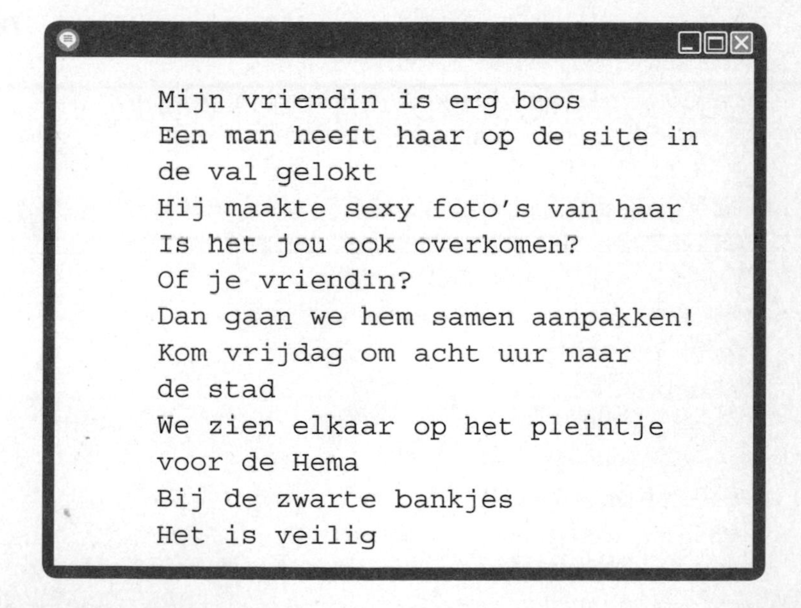

Arinze kijkt vragend naar Tirza.
'Perfect,' zegt ze, 'niks meer aan doen.'
Hij verstuurt het bericht.
Zo, nu nog een artikel voor de schoolkrant.
Dat is moeilijker, maar Limi is daar goed in.
Ze schrijft over de man.
En over de foto's die hij maakte.
Ze vraagt iedereen op te letten.
Als ze foto's zien, moeten ze Tirza waarschuwen.
'Zo, dat is ook geregeld,' zegt ze tevreden.
'Nu maar hopen dat de schoolkrant snel uitkomt,'
zegt Arinze.
'Ik zal het morgen bespreken met Jansma.'
Jansma is de leraar die de schoolkrant regelt.
'Zo,' zegt Tirza, 'nu kunnen we alleen maar wachten.'

De volgende dag bespreekt Arinze het met Jansma.
Die schrikt van het verhaal.
'Er komt pas over twee weken een krant,' zegt hij.
'Maar ik wil graag iedereen waarschuwen.
Daarom zullen we morgen een extra krant uitbrengen.
Ik bel gelijk naar die agente of zij ook een stukje schrijft.'

'Het is geregeld,' zegt Arinze tegen Tirza en Limi.
'Morgen is iedereen gewaarschuwd tegen Jochem.'
'Ik word er wel nerveus van,' zegt Tirza.
'Misschien zijn er wel veel meiden vrijdag.'
'Of niet één,' zegt Limi.
'Dat kan ook.
Dan sta je er alleen voor.
Maar wij helpen je.
We vinden hem sowieso.'
'Heb je nog iets gehoord van de politie?'
vraagt Arinze aan Tirza.

'Alleen dat ze hem niet kunnen vinden.
In de loods is hij niet meer geweest.
De eigenaar van de loods weet niet waar Jochem woont.
Hij huurt de loods sinds een paar maanden.
Hij betaalt de huur contant.
Hij heeft voor een half jaar betaald,' zegt Tirza.
'Dan zullen we hem zelf moeten vinden,' zegt Limi.

De rest van de week wordt Tirza steeds ongeduldiger.
Hoe zal het vrijdag verlopen?
Zal Jochem iets gemerkt hebben?
Hoeveel meiden zullen er komen?
En als er meer meisjes zijn,
willen ze dan aangifte doen?
Het duurt nog een paar dagen voor ze het weet.

HOOFDSTUK 13

Tien meiden

Dan is het eindelijk vrijdag.
Tirza heeft een drukke week gehad.
De schoolkrant kwam uit.
Iedereen stelde vragen aan Tirza.
Hoe Jochem eruitziet.
Wat hij met de foto's heeft gedaan.
Twee jongens kwamen naar Tirza.
Ze hadden meisjes gesproken in de disco.
Die hadden ook zoiets meegemaakt.
De jongens beloofden de meisjes te zoeken.
Iedereen bood aan om te helpen.
Ineens lijkt Tirza de held van de school.

Tirza is zenuwachtig over vanavond.
Zal er iemand komen?
Zal Jochem zich nog laten zien?
Ze heeft haar ouders niks verteld.
Haar moeder is zo snel bezorgd.
Ze zal het vast niet goedvinden.
Haar moeder wil dat de politie het uitzoekt.
Maar die weet nog steeds niks.
Jochem is niet meer bij de loods geweest.
En ze kunnen niet blijven kijken daar, hebben ze gezegd.

Tirza is al vroeg op het pleintje voor de Hema.
Arinze en Limi zijn natuurlijk meegegaan.
Tirza kijkt steeds angstig rond of ze Jochem ziet.

Om zeven uur komen er twee meisjes naar Arinze.
'Ben jij Dropje van de site van Superdudes?' vragen ze.
'Ja,' lacht Arinze, 'kom erbij zitten.'
De meisjes stellen zich voor: Mirna en Dunya.
Met Dunya is hetzelfde gebeurd.
Ook van haar heeft Jochem foto's gemaakt.
Toen noemde hij zichzelf Freddy.
Ze beschrijft hoe Freddy eruitzag.
Tirza weet het zeker.
Het is hem.
Het was ook op een zaterdag in dezelfde loods.
Om halfacht komt er een meisje dat Ankie heet.
Zij heeft haar vader meegebracht.
Dan komt er nog een.
En nog een.
Om acht uur zijn er tien meisjes.
Ze hebben allemaal een vriend of vriendin meegenomen.
Om zich veiliger te voelen.
Ze hebben allemaal hetzelfde meegemaakt.
Niemand heeft aangifte durven doen.

Jochem of Freddy of Arnold, hij had heel veel namen.
Steeds dreigde hij met de foto's.
Hij zou ze op internet zetten
als de meisjes iets zouden zeggen.
Tirza vertelt waarom ze aangifte heeft gedaan.
Ze wil niet dat er nog meer slachtoffers komen.
Dat kunnen de anderen begrijpen.
Maar ze zijn bang.
Bang dat de politie hem niet zal vinden.
Dat hij toch zal weten dat ze alles verklapt hebben.
En dat hij dan wraak zal nemen.
Twee meisjes hebben hun adres aan hem gegeven.
Hij kan ze makkelijk opzoeken thuis.

Arinze probeert hen te overtuigen.
'Laat Tirza niet alleen staan,' zegt hij.
'Zij is moedig geweest.
Maar Jochem krijgt geen zware straf.
Tenzij de rechter weet dat er meer slachtoffers zijn.
Je kunt op zijn minst getuigen,' zegt hij.
'Maar doe liever zelf ook aangifte,' zegt Limi.
'Voor jezelf is het ook heel goed.
Je vecht dan terug.
Daarmee zul je die vervelende dingen sneller vergeten.'

'Ik denk dat jullie gelijk hebben.'
Dit zegt de vader van Ankie.
'Het is slim als jullie allemaal aangifte doen.
Dan zal hij een flinke straf krijgen.
En hopelijk een tijd opgesloten worden.'
De meisjes beginnen nu door elkaar te praten.
Dunya wil gelijk naar de politie.
Een ander meisje wil eerst met haar ouders praten.
Twee meiden zeggen dat het stom is wat er gezegd wordt.
Ze vinden dat je het zo snel mogelijk moet vergeten.
En er dus niet meer over moet praten.
Arinze zegt dat dat niet waar is.
Je vergeet zoiets niet door er niet over te praten, zegt hij.
Tirza kijkt angstig rond.
Hoe moet het nu verder?
Iedereen gaat door elkaar schreeuwen.
Er blijven mensen staan kijken.
Die zijn benieuwd wat er gebeurt.
Een van de meisjes huilt.
Ze loopt weg met haar vriend.
Limi loopt haar achterna.
Tirza ziet haar praten met het meisje.
Als het meisje wegloopt, houdt Limi haar tegen.

Ook haar vriend probeert haar tegen te houden.
Ten slotte loopt ze terug naar Tirza.

'Zo, nou is het genoeg geweest,' zegt Limi.
'Jullie hebben genoeg na kunnen denken.
We gaan naar de politie.
Wie gaat er mee?'
Dunya steekt haar hand op.
Een tweede meisje volgt.
'Wij gaan ook,' zegt de vader van Ankie.
Er volgen nog twee meisjes.
De rest aarzelt.
'Nou meiden, kom op,' zegt Arinze.
'We vertrekken nu.'
Hij staat op en trekt Tirza met zich mee.
Limi volgt.
Daarna komt er een hele rij.
Ook de meisjes die nog aarzelden staan op.
Ze volgen ook.
Zo gaan ze met zijn allen naar de politie.

De agente achter de balie kijkt verrast op.
'We komen aangifte doen,' zegt Tirza.
'Roept u maar alvast een paar collega's.'
'Ho, ho, dat gaat zomaar niet,' zegt de agente.
'Ik kan wel afspraken voor jullie maken.'
'Dat moet dan maar,' zegt Arinze.
'Oké,' zegt de agente, 'wie eerst?'
Eén voor één melden ze zich.
De agente maakt afspraken.
Morgen zullen ze allemaal aangifte kunnen doen.

Tevreden nemen Tirza, Limi en Arinze afscheid.
Tien aangiften.

Dat is meer dan Tirza verwacht had.
Jochem is al lang bezig.
Al maanden.
Er zijn vast nog meer slachtoffers.
Tirza voelt zich steeds sterker worden.
Het gaat lukken om hem achter de tralies te krijgen!

'Wat gaan we nu verder doen?'
vraagt ze als ze thuis zijn.
'Jochem betrappen,' zegt Arinze.
'Doe niet zo raar.
Hoe wou je dat doen?' vraagt Tirza.
'Bijna alle meisjes zijn op een zaterdag bij hem geweest.
We gaan morgen eens kijken,' zegt Arinze.
'Nou ik niet,' griezelt Tirza.
'Ik hoef hem echt niet meer te zien.
Gaan jullie maar.'
'Hoe weten wij dan dat hij het is?' vraagt Limi.
'Wij kennen hem niet.'
'Tja, dat weet ik ook niet,' zucht Tirza.
Ze schenkt nog een glas cola in voor de anderen.
Ze denkt diep na.
Limi heeft natuurlijk wel gelijk.

'Oké,' zegt ze ten slotte, 'ik ga mee.'
Ze spreken af bij een tramhalte in de buurt van de loods.
Om elf uur zullen ze er alledrie zijn.
Tirza hoopt dat ze Jochem kunnen betrappen.
Maar ze hoopt ook dat hij er niet zal zijn.
Dan hoeft ze hem niet te zien.

Het duurt lang voor Tirza in slaap valt.
Ze denkt aan alle dingen die ze vanavond gehoord heeft.
En ze denkt aan die enge Jochem.
Hoe zal ze zich voelen als ze hem weer ziet?

HOOFDSTUK 14

Gepakt!

Vóór elf uur staat Tirza al bij de tramhalte.
Arinze en Limi komen aanlopen.
Die hebben een eerdere tram genomen.
Ze zijn al gaan kijken.
'We hebben de loods gevonden,' zegt Arinze.
'Maar nog geen Jochem gezien,' zegt Limi.
'Het is veilig, we gaan erheen.'
Tirza loopt tussen haar vrienden in.
Haar knieën doen een beetje raar.
Dat komt vast van de zenuwen.
Nu ze hier loopt, denkt ze weer aan de paniek.
En ze voelt zich weer zo superdom.
Waarom heeft ze hem ooit vertrouwd?

In de buurt van de loods kijkt ze angstig om zich heen.
Hij kan elk moment komen.
Wat zal hij doen als hij haar ziet?
Ze moet zich verbergen.
Ze lopen het pad naar de loods in.
Hier is het stil.
Niemand komt hier,
tenzij hij in de loods moet zijn.
Er staat een grote container.
Voor het vuilnis.
Daar kunnen ze zich alledrie achter verstoppen.
Het is krap, maar het lukt net.
Het voelt veilig, zo dicht bij elkaar.
'Hoe laat denk je dat hij komt?' vraagt Limi.

'Meestal sprak hij rond twaalf uur af,' weet Arinze.
'Dat hoorde ik van de meisjes.
Waarschijnlijk hoeven we niet lang te wachten.'
Ze wachten een halfuur.
Er gebeurt nog steeds niks.
'Ik denk dat hij niet meer komt,' zegt Limi.
'Misschien heeft de politie gelijk.
Hij komt hier niet meer.'
'Laten we maar gaan,' zegt Tirza.
Ze wil hier zo snel mogelijk weg.
Dan horen ze ineens een geluid in de loods.
Er valt iets om.
Ze kijken elkaar verbaasd aan.
'Hoorde je dat?' vraagt Tirza.
'Er is iemand in de loods.'
'Dan moet hij gekomen zijn toen wij jou gingen ophalen.
We zijn hier maar tien minuten weg geweest,' zegt Arinze.
'Zullen we gaan kijken?' vraagt Limi.
'Ik ga wel even,' stelt Arinze voor.
'Mij kent hij toch niet.
Als hij mij ziet, verzin ik een smoes.'

Limi en Tirza kijken hoe Arinze naar de loods loopt.
Hij loopt naar de deur.
Die is op slot.
Hij loopt om het gebouw heen.
Er zitten geen ramen in.
Er is niets te zien.
'We zullen moeten afwachten,' zegt hij.
Hij kruipt weer achter de container.
Ze wachten nog een tijd.
Ze wachten en wachten.

Dan horen ze voetstappen.

'Sssttt,' fluistert Limi.
'Er komt iemand.'
Op het pad loopt een meisje.
Ze is nog jonger dan Tirza.
Ze kijkt alsof ze iets zoekt.
Als ze de loods ziet, twijfelt ze.
'Moeten we haar niet waarschuwen?' vraagt Tirza.
'Ssssttt,' sist Arinze.
'We kunnen haar toch niet naar binnen laten gaan?'
vraagt Limi.
'Stil nou,' gebaart Arinze.
Het meisje loopt naar de loods.
Ze klopt op de deur.
Tirza kijkt voorzichtig om de hoek.
Ze kan net de deur zien.
Die gaat langzaam open. Niet ver.
Maar Tirza heeft het gezien.
'Ja hoor,' zegt ze.
'Het is hem.
Jochem is daar binnen.'
'En het meisje nu dus ook,' zegt Limi.
'We moeten iets doen.
We kunnen toch niet gewoon afwachten.'

'Hoelang duurde het voor hij foto's ging maken?'
vraagt Arinze.
'Bij mij zeker tien minuten,' zegt Tirza.
'Eerst babbelt hij wat.
Dan geeft hij een cola.'
'Met iets erin,' zegt Limi.
'Ja, waarschijnlijk wel,' zegt Tirza.
'Tien minuten. Dat is mooi,' vindt Arinze.
'We bellen de politie.
Dan betrappen ze hem.

Ze hoeven dan niet meer naar bewijs te zoeken.
Daarom wilde ik haar niet waarschuwen.
Hij zal anders alles ontkennen.
Nu kan hij dat niet.'
'Maar het meisje is in gevaar,' denkt Limi.
'We moeten haar naar buiten halen.'
Arinze belt 112.
Hij vertelt wat er aan de hand is.
Hij zegt dat er een meisje in gevaar is.
Dan geeft hij het adres.
'Ze zijn binnen vijf minuten hier,' zegt hij.
'Zo snel loopt ze nog geen gevaar.
We wachten af.'

'Wat duurt dat lang,' klaagt Tirza.
'Rustig nou, het is nog geen halve minuut.
Zo snel gaat dat niet.'
Ze lopen naar het begin van het pad.
'Zie jij ze al komen?' vraagt Limi.
'Ik word nerveus van jullie,' vindt Arinze.
'Laat ze nou opschieten,' zegt Tirza.
Ze is ongerust over het meisje.
Het leek nog een kind.
Ze kan hier toch niet zo maar afwachten.
Ja, misschien heeft Arinze wel gelijk.
Als hij het meisje een pil geeft in de cola,
dan is het snel duidelijk voor de politie.
Tirza loopt op en neer door de straat.
Steeds een klein stukje.
Dan keert ze om.
Limi staart naar de loods.
Alsof ze door de muren heen wil zien wat er gebeurt.

Arinze belt nog een keer naar 112.

'Ze zijn echt onderweg,' zegt Arinze.
'Ze moeten hier bijna zijn.'
Dan zien ze twee politieauto's verschijnen.
Die komen met piepende banden om de hoek.
Ze hebben de sirenes uitgezet.
Tirza rent hen tegemoet.
'Hier moeten jullie zijn!' schreeuwt ze.
Arinze rent naar de loods.
Hij gaat voor de deur staan.
Jochem mag nu niet ontsnappen.
Maar die heeft ook nog niets door, denkt Arinze.
De auto's rijden het pad op.
Ze stoppen net voor de voeten van Arinze.
Er zijn vier agenten, drie mannen en een vrouw.
Twee hebben er een pistool in de hand.
Arinze springt aan de kant.
'Hij is hier binnen,' wijst hij.
Een van de agenten bonst op de deur.
'Opendoen, politie,' roept hij.
Er gebeurt niets.
'Politie! Opent u nú de deur!' roept de agent nog een keer.
Weer geen reactie.
'Schiet nou op,' smeekt Tirza.
'Straks doet hij het meisje iets aan.'

De agente loopt terug naar de auto.
Ze pakt er een koevoet uit.
'We zullen hem helpen,' zegt ze.
Ze geeft het breekijzer aan haar collega.
Die ramt de deur.
Het gaat moeilijk, maar hij krijgt hem open.
De agenten met de pistolen rennen naar binnen.
'Wegwezen hier,' zegt de agente tegen Arinze.
'Het kan gevaarlijk zijn.'

Limi en Tirza zitten weer veilig achter de container.
Ze kijken om de hoek.
Ze willen niets missen.
Arinze blijft staan kijken voor de deur.
'Wegwezen, zeg ik!' roept de agente nogmaals.
'Hij kan gewapend zijn.'
Dan kruipt Arinze ook achter de container.

Een hele tijd gebeurt er niks.
'Wat zijn ze aan het doen?' vraagt Tirza.
'Waarom duurt het zo lang?'
'Misschien heeft hij zich verstopt,' denkt Limi.
'Of hij heeft het meisje vastgegrepen.
Waardoor de agenten hem niet kunnen oppakken.'
'Misschien houdt hij haar wel onder schot,' oppert Arinze.
'Doe niet zo eng!' zegt Tirza.
'Ze komen vast snel naar buiten.'
Eindelijk gaat de deur open.
De agente komt naar buiten.
Ze heeft haar arm om het meisje geslagen.
Het meisje is half verstopt.
Er hangt een doek over haar schouders.
Ze wankelt op haar benen.
'Zie je nou?' vraagt Tirza.
'Zien jullie wat hij doet?
Hij heeft haar ook iets gegeven.
Drugs of zo.'
Het meisje stapt in een van de auto's.
De agente gaat naast haar zitten.
Ze blijft steeds praten tegen het meisje, ziet Tirza.
Jammer, ze kan het niet verstaan.

Dan komt Jochem naar buiten.
Hij heeft handboeien om.

Twee agenten houden hem vast.
De andere agent opent de tweede auto.
Jochem moet instappen.
Hij stoot zijn hoofd heel hard.
'Net goed!' zegt Tirza.
Jochem heeft haar gehoord.
Hij kijkt haar kant op.
Het kan Tirza niets meer schelen.
Ze vindt het heerlijk om Jochem te zien vertrekken.
Nu kan ze zich veilig voelen.
Voorlopig zit hij vast.
De auto verdwijnt uit het zicht.
De auto met het meisje staat er nog.
'Waarom gaat die niet weg?' vraagt Limi.
'Ze wachten op collega's, denk ik,' zegt Arinze.
En ja hoor, daar komt een derde auto.
De agenten gaan naar binnen.
Ze komen naar buiten met een computer.
'Ha, nou gaan ze je foto's zoeken,' zegt Limi.
'Oké,' zegt Tirza, 'nu is het dus afgelopen voor hem.'
'Ik zou het wel denken,' zegt Arinze.
Een van de agenten ziet hen staan.
'Wat doen jullie hier?' vraagt hij.
'Kijken,' zegt Tirza.
'Wegwezen dan,' zegt de agent.
'Er mag hier even niemand op het terrein komen.'

Tirza loopt met Limi en Arinze terug naar de tramhalte.
Ze voelt zich heel wat beter dan vanmorgen.
Ze is zelfs blij, merkt ze.
Dat is ze niet meer geweest sinds de foto's werden gemaakt.
In de tram gaat ze zingen.
Arinze lacht naar haar.

HOOFDSTUK 15

Bekend

Thuis vertelt Tirza alles aan haar moeder.
Die is boos op Tirza.
Maar ook wel trots.
'Jullie hebben hem te pakken gekregen!' zegt ze.
'Je hebt het slim aangepakt.
Maar het was veel te gevaarlijk.'
'Ach mevrouw, ik was er toch bij,' zegt Arinze.
Hij kijkt er macho bij.
Hij kan erg stoer doen, vindt Tirza.
Limi moet om hem lachen.
'Vergeet je mij niet?' vraagt ze.
'Oh ja, natuurlijk.
Zonder jou hadden we het niet gered,' plaagt Arinze.
Ze beginnen alledrie te giebelen.

'Jullie nemen me niet serieus,' klaagt Tirza's moeder.
'Het was echt veel te gevaarlijk.
Hij had een pistool kunnen hebben.
Heb je daaraan gedacht?
Of hij had een van jullie te pakken kunnen nemen.
En dan niet meer laten gaan.
Dacht je daar niet aan?'
Tirza schiet weer in de lach.
'Mam, hou nou op.
Hij zit vast. Hartstikke vast.
Hij kan mooi niets meer doen.
Ook niet met mijn foto's.

Het is over en uit voor hem, mam.'
'U had hem moeten zien,' zegt Limi.
'Hij zag Tirza en hij keek toch kwaad!!'
'Hij heeft je gezien?
Als dat maar goed komt,' zucht Tirza's moeder.
'Mevrouw, het komt goed,' zegt Arinze.
Hij klopt zichzelf op de borst.
Tirza en Limi schieten weer in de lach.
'Nou oké,' zegt Tirza's moeder,
'we hopen op een goede afloop.'

Ze belt de politie om te vragen wat er nu gaat gebeuren.
Het is een lang gesprek.
Tirza, Limi en Arinze schuiven ongeduldig op hun stoelen.
Eindelijk legt Tirza's moeder de telefoon neer.
'Hij heeft alles al bekend,' zegt ze.
'Joepie!!' juicht Tirza.
'Geweldig!!' roept Arinze.
Hij geeft Tirza een dikke zoen.
Limi slaat haar armen om Tirza heen.
Samen dansen ze door de keuken.
'We hebben gewonnen,' zingt Limi.
'Je hoeft dus ook niet meer terug voor verhoor,'
zegt Tirza's moeder.
'Hij heeft al gezegd dat je verhaal klopt.
Er zal snel een rechtszaak komen.'
'Hij zal toch even moeten wachten,' zegt Tirza.
'Hij moet nog tien zaken bekennen.'
Haar moeder kijkt haar verbaasd aan.
'Nog tien zaken?'
'Ohoh, we hebben nog iets vergeten te vertellen,' zegt Limi.
'Ja, we zijn gisteren ook nog op pad geweest,' vult Tirza aan.
'Ik geloof dat ik het even niet snap,' zegt Tirza's moeder.
Tirza vertelt alles.

Over het bericht dat ze hebben geplaatst.
En over de meisjes die ze hebben gesproken.

'Dus zullen er vandaag nog tien aangiften volgen,' zegt Limi.
'Tien? Dat is toch niet te geloven.
Hoe lang is Jochem al bezig?
En waarom heeft niemand iets gedaan?
Waarom hebben die meisjes de politie niets verteld?'
'Omdat ze niet allemaal zo moedig zijn als Tirza,'
zegt Arinze.
Tirza voelt zich steeds beter.
Ze is blij dat ze het zo hebben aangepakt.

'Dan moeten we nu een paar maanden wachten,'
zegt Tirza's moeder.
'Een paar maanden?' vraagt Tirza.
'Ja, helaas, zo lang kan het wel duren.
Maar voorlopig passen ze daar goed op Jochem,'
zegt Tirza's moeder.

HOOFDSTUK 16

Voorbij

Het duurt inderdaad een paar maanden.
Tirza is ongeduldig.
Ze wil weten wat voor straf hij krijgt.
Pas als alles achter de rug is, kan ze het vergeten.

Ze heeft enkele meisjes nog eens gezien in de stad.
Toen hebben ze veel over Jochem gepraat.
Dat luchtte haar erg op.
Ook de andere meisjes zijn blij dat ze aangifte hebben gedaan.

Dan is daar eindelijk de dag van de rechtszaak.
Tirza mag aanwezig zijn.
Ze zit op de tribune.
Met Limi en Arinze.
Achter haar zitten haar ouders.
Haar moeder legt af en toe een hand op Tirza's schouder.

Jochem komt binnen, tussen twee agenten.
Hij loopt met zijn hoofd gebogen.
'Hij schaamt zich,' zegt Limi.
'Dat hoop ik wel, ja,' zegt Tirza.
Dan kijkt Jochem op.
Hij kijkt naar de tribune.
Daar ziet hij Tirza.
Tirza voelt haar hart bonken.
Maar ze kijkt niet weg.

Ze durft hem recht in de ogen te kijken.
Jochem kijkt terug.
Hij ziet er verslagen uit.
Het kan Tirza niets schelen.
Had hij maar niet zo stom moeten zijn.

Er wordt een papier voorgelezen.
Daarop staat wat Jochem heeft gedaan.
De namen van de meisjes worden gelezen.
'De slachtoffers' worden ze genoemd.
Dat klinkt ernstig, vindt Tirza.
Arinze grijpt haar hand.
Hij knijpt er zacht in.
Hij heeft heerlijk warme handen, vindt Tirza.
Limi glimlacht naar haar.
Dan begint het verhoor.
Er worden vragen gesteld aan Jochem.
Jochem bekent alles.
Dan krijgt hij misschien een lagere straf,
heeft Tirza gehoord.
Hij vertelt waar hij de foto's voor gebruikte.

Dat is nieuw voor Tirza.
Ze schrikt als hij zegt dat hij ze verkocht heeft.
Aan mensen over de hele wereld.
Hij kreeg er veel geld voor.
Hoe jonger de meisjes waren, hoe meer geld.
Haar foto's zijn ook verkocht.
Ergens op de wereld zitten mannen naar haar te kijken.
Tirza griezelt van dat idee.
Maar ze snapt ook dat ze er niets aan kan doen.
De politie kan nooit ontdekken
bij wie die foto's terecht zijn gekomen.
Jochem geeft geen adressen.

Tirza zucht.
Daar moet ze dan maar niet aan denken.
Het helpt toch niet meer.

Aan het eind mag Jochem nog iets zeggen.
Hij vraagt of hij een lichte straf kan krijgen.
Hij is al zwaar gestraft.
Hij is zijn baan kwijt.
Zijn vrouw heeft hem in de steek gelaten, zegt hij.
Ze is vreselijk boos.
Ze wist niet dat hij dit deed.
Hij heeft twee kleine dochters.
Die mag hij niet meer zien.
Dat is te gevaarlijk.
Hij zou ook van hen foto's kunnen maken.
De kinderen wonen bij hun moeder.
Jochem huilt er bijna bij.

'Het is ook wel triest,' zegt Limi.
'Ben je nou helemaal,' fluistert Tirza.
'Dat is toch mooi zijn eigen schuld.
Dat kon hij van tevoren weten.
Het is gewoon een gevaarlijke gek.'
'Tirza heeft gelijk, denk ik,' zegt Arinze.
'Opsluiten die man.'
Dan komt er iemand vertellen welke straf Jochem verdient.
Hij eist vier jaar gevangenis.
En Jochem moet behandeld worden.
Hij is ziek in zijn hoofd, vindt die man.
Hij moet naar een kliniek.
Daar kunnen ze hem helpen,
zodat hij ziet wat hij verkeerd deed.
TBS noemt de man dat.
Jochem moet TBS krijgen.

De rechter gaat daarover nadenken.
Tirza moet dus wachten tot er een uitspraak komt.
Dat duurt een tijdje.

Een paar weken later zitten ze er weer.
Eindelijk zullen ze horen wat zijn straf wordt.
De andere meisjes zitten ook op de tribune.
Het is erg stil.
Iedereen vindt het reuze spannend.
Jochem kijkt weer om zich heen.
Een voor een kijkt hij de meisjes op de tribune aan.
Tirza kijkt niet weg.
Wat denkt hij wel.
Ze is nu echt niet bang meer voor hem.
Arinze en Limi leggen allebei een arm om haar schouders.
Ze blijft hem trots aankijken.
Jochem buigt zijn hoofd.

'Spannend, hè,' fluistert Limi.
Eindelijk, daar komt de rechter.
In zijn lange zwarte toga.
Hij legt een papier voor zich neer.
Dan schraapt hij zijn keel.
Hij neemt nog een slok water.
'Schiet nou op, man,' zegt Arinze.
'Jij bent nog nerveuzer dan ik,' lacht Tirza.
'Natuurlijk, ik heb hem toch mee gevangen,' zegt Arinze.
'Nou gevangen...,' plaagt Limi.
'Jij hebt inderdaad de politie gebeld.
Dat wel.'

Dan pakt de rechter het papier.
Hij kijkt streng.
'U bent schuldig,' zegt hij.

'U heeft jarenlang meisjes misbruikt.
U maakte foto's om daar rijk van te worden.
U heeft nooit aan de meisjes gedacht.
Hoe vreselijk die dat vonden.
U heeft ze vastgepakt toen ze dat niet wilden.
Sommige meisjes heeft u gekust,
terwijl ze dat niet wilden.
U heeft pillen in hun drinken gedaan.
De meisjes waren jonger dan achttien jaar.
Dat is een ernstige zaak.
Ik veroordeel u tot vier jaar gevangenis.
En daarna krijgt u TBS.
U zult uw gedrag moeten verbeteren.
Pas daarna mag u vrijgelaten worden.'

'Vier jaar, dat is echt veel,' fluistert Tirza's moeder.
'Maar wel terecht,' zegt haar vader.
Tirza is verbaasd.
Vier jaar, dat had ze niet verwacht.
'Goed hè,' glimlacht Limi.
Ze geeft Tirza een dikke knuffel.
'Daar heb je voorlopig geen last meer van,' zegt Arinze.
Hij slaat zijn armen om Tirza heen.
Dan geeft hij haar een zoen.
Op haar lippen.
Hij houdt haar stevig vast.
Tirza kruipt heerlijk weg in zijn armen.
Het is voorbij.
Ze hoeft niet meer aan Jochem te denken.
Ze kan weer over de toekomst dromen.
Daar heeft ze wel zin in.
Ze lacht naar Arinze.

Tips en websites

Als jij te maken krijgt met misbruik via het Internet
kun je daar iets tegen doen.
Ook kun je misbruik proberen te voorkomen.
Lees de onderstaande tips en bekijk de websites.

1
Waarschuw altijd een moderator of beheerder van de site
als er iets naars is gebeurd.
Een moderator is iemand die de site in de gaten houdt.
Ze kunnen foto's verwijderen als er stiekem
een foto van jou geplaatst is.
Ook kunnen ze mensen verbieden om nog op de site te komen.

2
Bij sites zoals Sugababes en Superdudes heb je op ieder profiel een
knop: Meld misbruik.
Daar kun je melden wat er volgens jou niet klopt.
Je krijgt zo snel mogelijk bericht wat er met je melding is gebeurd.
Als iemand de regels overtreedt, kan hij of zij van de site worden
verwijderd.
Ook kan iemand een waarschuwing krijgen.
Ze proberen het voor jou zo veilig mogelijk te maken.

3
Je kunt een klacht plaatsen op *www.meldpuntcybercrime.nl*
Als je hier je klacht meldt, kan de politie kijken of ze iets kan
ondernemen.

4
Ook is het verstandig om aangifte te doen bij de politie.
Je kunt bellen met *0900 - 8844*.
Je wordt dan doorverbonden met de politie in jouw woonplaats.
Er zijn speciaal opgeleide agenten om dit soort problemen mee te
bespreken.
Als je dat prettig vindt, kun je om een vrouwelijke agent vragen.

Zet het telefoonnummer in het geheugen van je mobiel.
Zet daar ook het alarmnummer *112* in.
Dat bel je als je meteen politie nodig hebt.
Bijvoorbeeld als je door iemand wordt vastgehouden.
Aangifte doe je voor jezelf, maar ook om te voorkomen dat iemand nog meer slachtoffers maakt.

5

Maak nooit afspraken met iemand via het internet als je hem niet kent.
Laat geen woonadres, e-mailadres of msn-adres achter.
Je kunt nooit weten of diegene ook is wie hij zegt te zijn.
Gebruik een nick-name (een verzonnen naam).

6

Wil je toch een afspraak maken, omdat je denkt iemand heel leuk te vinden, spreek dan af op een drukke plaats.
Bijvoorbeeld in een café of een winkelcentrum.
Neem een vriend of vriendin mee.
Eventueel vraag je iemand om op een afstand de zaak in de gaten te houden.

7

Ga niet achter de webcam als iemand jou dat vraagt, terwijl hij er zelf geen heeft.
Wacht tot hij zelf via de webcam te zien is.
'Mijn webcam is kapot' is een bekende truc.
Waarschijnlijk liegt iemand dan over wie hij is.

8

Doe achter de webcam geen dingen die je ook niet zou doen als je iemand in het echt zou ontmoeten.
De ander kan jouw beelden op internet zetten.
Ze kunnen zo de hele wereld over gestuurd worden.

9

De truc met een modellencontract komt vaak voor.
Een goed modellenbureau zoekt geen mensen via de computer.
Zij maken duidelijk wie ze zijn.
En waar je ze kunt bereiken.

Als iemand via de computer foto's van jou wil,
dan verkoopt hij die meestal aan anderen door.

10

Kijk op de website *www.internetsoa.nl.*
Daar zie je op welke manieren mensen jou kunnen misleiden.
Ook staat er veel informatie over chatten op de volgende sites:
www.digibewust.nl en
www.chatinfo.nl.

11

Je ouders kunnen informatie zoeken op
www.mijnkindonline.nl.
Ook voor jezelf staat daar nuttige informatie over
'veiligheid op het internet'.
En je kunt daar het boek aanvragen: *Kindertelefoontips van Carry Slee.*
Daar staan veel handige adressen en tips in.

12

Is er iets vervelends gebeurd met een van je vriendinnen?
Luister dan naar haar verhaal en help haar verder met deze tips.

13

Is jou iets ernstigs overkomen, zoek dan hulp.
Het probleem gaat meestal niet vanzelf over.

14

Vraag je ouders om hulp of anders een broer of zus of ander familielid.

15

Je kunt ook bellen met de kindertelefoon:
0800 - 0432 of *0900 - 0132* (niet gratis).
Elke dag van 14 tot 20 uur.
Of met de Korrelatie Teksttelefoon *030 - 2763030.*
Elke werkdag van 9 tot 21 uur.

16

Ook je huisarts of een leerkracht kan jou verder helpen.
Ze kunnen met jou uitzoeken wie jou het beste kan helpen.

17

Als je doof of slechthorend bent kun je voor vragen terecht bij een van de vijf doventeams:

Psydon
Noord-West-Nederland + Flevoland
teksttelefoon: 020 5904302
fax: 020 5904301
website: www.psydon.nl
e-mail: info@psydon.nl

De Gelderse Roos De Riethorst
Oost-Nederland en Utrecht
teksttelefoon: 0318 433600
fax: 0318 433689
website: www.degelderseroos.nl/riethorst
e-mail: infodoven-slechthorenden@degelderseroos.nl

Doventeam Noord-Nederland
teksttelefoon: 050 5223229
fax: 050 5223333
website: www.axenza.nl/doventeam
e-mail: doventeam@lentis.nl

Doventeam Zuid-West-Nederland
teksttelefoon: 010 4960697
fax: 010 4960827
website: www.doventeam.nl
e-mail: info@doventeam.nl

Doventeam Zuid-Nederland
teksttelefoon: 0495 572022
fax: 0495 572011
website: www.riaggzuid.nl
email: tds@riaggzuid.nl

De Troef-reeks richt zich op lezers met een achterstand in de Nederlandse taal, zoals dove en anderstalige kinderen en jongeren. 'Pas op, Tirza!' is geschreven voor jongeren vanaf 12 jaar.

Titels in de Troef-reeks

Haan zoekt kip zonder slurf,
door Wajira Meerveld
Een voorlees/prentenboek voor kinderen van 2 tot 6 jaar

Haan zoekt huis met geluk,
door Wajira de Weijer (Meerveld)
Een voorlees/prentenboek voor kinderen van 2 tot 6 jaar

Thomas - een verhaal uit 1688,
door Nanne Bosma
AVI 6*

Ik wil een zoen,
door René van Harten
AVI 5*

Linde pest terug
door René van Harten
AVI 5*

Mijn vader is een motorduivel,
door Selma Noort
AVI 7*

Het huis aan de overkant,
door Anton van der Kolk
AVI 6*

Het verhaal van Anna,
door Conny Boendermaker
AVI 8*

Dierenbeul,
door Chris Vegter
AVI 6*

Dansen!,
door René van Harten
AVI 8*

Een vriend in de stad,
door Valentine Kalwij
AVI 6*

Laura's geheim,
door Marieke Otten
AVI 6*

Droomkelder,
door Heleen Bosma
AVI 6*

Een spin in het web,
door Lis van der Geer
AVI 8*

Er vallen klappen,
door Ad Hoofs
AVI 7*

Mijn moeder is zo anders,
door Marieke Otten
AVI 6*

Twee liefdes,
door Marian Hoefnagel
AVI 7*

Gewoon Wouter,
door Marieke Otten
AVI 6*

Magie van de waarheid,
door Heleen Bosma
AVI 6*

Gewoon vrienden,
door Anne-Rose Hermer
AVI 7 *

Blowen,
door Marian Hoefnagel
AVI 5 *

Breakdance in Moskou,
door Annelies van der Eijk e.a.
AVI 7 *

Kebab en pindakaas,
door Marieke Otten
AVI 6 *

Help! Een geheim,
door Netty van Kaathoven
AVI 6 *

Te groot voor een pony,
door Stasia Cramer
AVI 7 *

Zijn mooiste model,
door Marian Hoefnagel
AVI 6*

Ook gebonden editie

Rammen en remmen,
door Ad Hoofs
AVI 7*

Vogelgriep,
door Chris Vegter
AVI 6*

Pas op, Tirza!,
door Netty van Kaathoven
AVI 5*

* *Het AVI-niveau is op verzoek van diverse personen uit het onderwijs aangegeven.*
Duidelijk moet zijn dat het AVI-niveau alleen het technisch lezen en niet het begrijpend lezen betreft.
De AVI-aanduiding is voor dove kinderen doorgaans onbruikbaar.
Als een doof kind een woord technisch correct leest, zegt dat niets over zijn begrip van dat woord.

Aan dit boek in de Troef-reeks is financiële ondersteuning verleend
door het ministerie van OC en W.

De Troef-reeks komt tot stand in samenwerking met de FODOK.

Lesmateriaal en/of verwerkingsopdrachten bij dit boek kunt u gratis
downloaden. Ga hiervoor naar *www.vantricht.nl* > *makkelijk lezen* en klik de titel
van het boek aan. Onderin de pagina vindt u het pdf-bestand van de lesbrief.

Vormgeving Studio Birnie
Foto omslag Bas Kijzers/Estella Snellen

Eerste druk, eerste oplage 2007

ISBN 978 90 77822 23 4
NUR 284 en 286

info@vantricht.nl